La petite barbe. 207116
FR 970.4 STE
Steinmann, Andre,

LONGLAC PUBLIC LIBRARY

970.4
STE
Steinmann, Andre, 1912-
La petite barbe
~~129~~ 145

LONGLAC PUBLIC LIBRARY

LA PETITE BARBE

Couverture

- Maquette:
  MICHEL BÉRARD
- Illustration:
  JACK TREMBLAY

Maquette intérieure

- Conception graphique:
  MICHEL BÉRARD

Nous remercions M. Cyril Simard, directeur de la Centrale d'Artisanat du Québec, de nous avoir fourni les photos des pp.287, 294 (photo du bas), 297 et 298.

DISTRIBUTEURS EXCLUSIFS:

- Pour le Canada
  AGENCE DE DISTRIBUTION POPULAIRE INC., *
  955, rue Amherst, Montréal H2L 3K4, (514/523-1182)
  * Filiale du groupe Sogides Ltée
- Pour l'Europe (Belgique, France, Portugal, Suisse, Yougoslavie et pays de l'Est)
  OYEZ S.A. Muntstraat, 10 — 3000 Louvain, Belgique
  tél.: 016/220421 (3 lignes)
- Ventes aux libraires
  PARIS: 4, rue de Fleurus; tél.: 548 40 92
  BRUXELLES: 21, rue Defacqz; tél.: 538 69 73
- Pour tout autre pays
  DÉPARTEMENT INTERNATIONAL HACHETTE
  79, boul. Saint-Germain, Paris 6e, France; tél.: 325 22 11

André Steinmann

LA PETITE BARBE

AVEC LA COLLABORATION DE
GILBERT LA ROCQUE

LES ÉDITIONS DE L'HOMME*

CANADA: 955, rue Amherst, Montréal 132
EUROPE: 21, rue Defacqz — 1050 Bruxelles, Belgique

* Filiale du groupe Sogides Ltée

©1977 LES ÉDITIONS DE L'HOMME LTÉE

Tous droits réservés

Bibliothèque nationale du Québec
Dépôt légal — 3e trimestre 1977

ISBN 0-7759-0551-8

Je dédie ce livre, tout d'abord à la mémoire de mon père et de ma mère, ensuite à la Congrégation de Marie-Immaculée, enfin à tous ceux que j'aime, trop nombreux pour être tous nommés.

Première partie

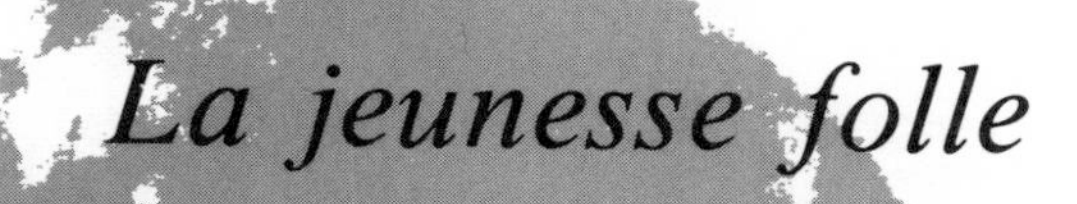

La jeunesse folle

On n'écrit généralement ses mémoires qu'une fois au cours d'une vie. Aussi est-on porté à se demander où il faut commencer, et même jusqu'où l'on peut aller. Car si l'on veut jouer les généalogistes, ça peut mener loin: tout le monde a ses ancêtres — mais, sauf exceptions, le récit de leurs faits et gestes n'est bon qu'à empoisonner les gens. Pas question, non plus, de tout faire commencer au beau milieu de sa vie et de faire semblant que rien n'a jamais commencé et qu'on n'a vécu que des effets qui n'ont jamais eu de causes lointaines. Comme Churchill, j'ai bien envie de dire: "Quand commence-t-on à se souvenir? Quand les lumières incertaines et les ombres de la conscience qui s'éveille impriment-elles leurs marques sur l'esprit d'un enfant?"

De mon grand-père paternel, il me reste assez peu de souvenirs. C'était un homme d'une grande sévérité — qu'il avait héritée, sans doute, de ses ancêtres germaniques. On en parlait parfois, dans notre famille, comme d'une sombre légende... On disait, par exemple, que lorsque son fils Félix avait dû subir une appendicectomie, il n'avait pas voulu qu'on l'anesthésie: cela aurait eu pour effet, croyait-il, de diminuer le mérite obtenu par la souffrance. Bien sûr, il faut tenir compte des circonstances de temps et de lieu — sans quoi on serait porté à crier au sadisme... De toute façon, ma famille avait assez peu de relations avec celle de mon père. Nos contacts étaient plutôt rares et, en fait, assez froids, par suite de l'attitude que mes grands-parents avaient eue, pendant la guerre de 1914-18, envers ma mère et ses enfants.

A cette époque, mon père avait été envoyé à Salonique, où il pouvait se battre pour son pays sans, pour autant, se trouver à proximité du front franco-allemand. La différence était importante, car tous ceux qui portaient un nom alsacien auraient été fusillés par les Allemands, s'ils avaient été faits prisonniers. On les aurait pris pour des déserteurs. C'est pourquoi on les expédiait sur un autre front, où ils ne risquaient pas de faire les frais de pareille méprise. Ma mère était donc restée seule avec ses trois enfants en bas âge. La première solution qui lui était venue à l'esprit avait été d'aller se réfugier chez ses beaux-parents, à Luxeuil-les-Bains, où mon grand-père avait sa pharmacie. Mais, pour une raison ou pour une autre, on lui refusa l'hospitalité. On comprend aisément, dès lors, que les relations soient devenues moins cordiales. Je ne sais trop quelle influence une telle situation a pu exercer sur mon développement... Nos souvenirs d'enfance restent en nous; on croit parfois les avoir oubliés, mais ils jettent leurs couleurs sur le reste de notre vie et marquent profondément notre personnalité.

Ainsi, je crois que mon grand-père maternel a exercé une grande influence sur l'orientation de ma vie... Il était

Mon grand-père maternel.

Mon grand-père paternel.

1914... Mon frère Jean, ma mère et moi.

issu d'une famille de paysans où, disait-il plaisamment, on n'avait pas assez d'argent pour lui acheter des chaussures. Je me souviens que, lorsque j'étais enfant, il nous racontait comment la plante de ses pieds s'était endurcie, doublée d'une couche calleuse qui formait en quelque sorte une semelle naturelle, à force de marcher pieds nus et de traverser les champs de blé après la moisson. Dans son esprit, nous étions chanceux d'avoir un père qui pouvait nous acheter des chaussures.

Grand-père avait fait une carrière d'officier dans l'armée française. Il possédait à fond l'art de raconter et ses récits me fascinaient. A mes yeux, il représentait l'archétype du héros et du saint — aujourd'hui, à soixante-quatre ans, je le considère toujours ainsi. Peut-être cette vénération provenait-elle du fait qu'il était mon parrain et que, par conséquent, il me témoignait une affection un peu spéciale.

Au début du siècle, le ministre Combes avait fait mettre sur une sorte de liste noire tous les officiers catholiques, qui voyaient par le fait même leurs chances d'avancement réduites à néant. On appelait cela: avoir sa fiche. Ce fut donc à cause de ce climat d'anticléricalisme officiel qui régnait alors en France que mon grand-père dut, dès 1901, perdre à jamais tout espoir de dépasser le grade de commandant.

Nous passions toujours une partie de nos vacances à Belfort, où mon grand-père maternel possédait une grande maison, rue Châteaudun. Le vénérable vieillard, très pieux et toujours serviable, nous emmenait souvent visiter les familles pauvres des alentours, qu'il allait servir en tant que président de la Conférence de Saint-Vincent-de-Paul. Son catholicisme ardent ne l'empêchait cependant pas de saluer respectueusement, au passage, les lieux où l'on célébrait d'autres cultes, car, disait-il, c'étaient des maisons de prières honorant Dieu. Nous l'accompagnions aussi aux offices religieux. Nous ne pouvions alors faire autrement que de l'observer avec respect et fierté: la ferveur de sa foi le transfigurait littéralement; il paraissait partir en extase et se détacher de toute contingence terrestre. Cet homme supérieur, qui ne se plaignait jamais et ne critiquait personne, n'a pas manqué de laisser une empreinte durable dans le coeur du jeune enfant que j'étais.

* * *

Lorsque la guerre fut déclarée, en 1914, je n'étais pas très vieux puisque je suis né en 1912. Pourtant, je me souviens d'une scène qui m'avait fortement impressionné... Nous étions chez mes grands-parents maternels, à Belfort, où se trouvaient réunies plusieurs personnes — je ne sais évidemment plus qui —, lorsque quelqu'un entra et annonça que la guerre venait d'être déclarée. En entendant cette nouvelle, une jeune femme eut une réaction instantanée: saisie de frayeur, elle se précipita vivement sous la table pour se mettre à l'abri. Le geste peut paraître bizarre; pourtant, il m'arriva plusieurs fois, un peu plus tard, d'agir à peu près de la même manière. Nous habitions alors à Paris, rue Pasteur, où ma mère avait pris un appartement après avoir été rejetée par mes grands-parents de Luxeuil. Bien sûr, on était en pleine guerre et la grosse Bertha était aux portes de la capitale. Lorsque le canon bombardait la ville ou que des avions allemands étaient annoncés et qu'il fallait camoufler toutes les lumières pour faire le black-out, nous nous cachions sous nos couvertures, convaincus que nous étions dès lors à l'abri des bombes. Je me souviens que je m'imaginais souvent, à ce moment, des avions en train de se mordre rageusement la queue, au désespoir de n'avoir pas pu m'atteindre au fond de mon lit d'enfant. Evidemment, ces souvenirs sont restés bien plus vivaces que ceux qui remontent aux années récentes.

Assez régulièrement, ma mère recevait des lettres de Salonique. Chaque fois, elle nous rassemblait pour nous donner des nouvelles de notre père. Nous nous réunissions autour d'elle et l'écoutions gravement nous donner lecture de quelques passages de la lettre. Bien souvent, la voix lui manquait; elle se mettait à pleurer et nous demandait de prier pour que notre père nous revienne sain et sauf.

Mon père et ma mère.

Quand il rentra à Paris, un peu avant l'armistice, nous ne le reconnaissions plus. Pour les jeunes enfants que nous étions, il avait été absent pendant presque un siècle. Nous retrouvions, d'une certaine façon, un étranger... Mais, bien sûr, cela ne dura pas: en peu de temps, tout était rentré dans l'ordre et nous nous amusions à nous coiffer de son képi ou à enfiler ses grosses chaussures. Pour nous, c'était le héros par excellence. C'était grâce à lui que la France allait gagner la guerre... Nous retrouvions notre père, notre mère son mari: le baromètre familial avait bien l'air d'indiquer une période de beau fixe...

Mais il faut croire que nous vivions à une époque où le bonheur et la plus simple paix n'étaient pas possibles... Car la guerre se terminait à peine, que la grippe espagnole frappait. Toute la famille fut atteinte — sauf ma mère. Un jour, mon père entra dans la chambre que je partageais avec mon frère aîné. Il relevait péniblement de la grippe; mal rasé, les traits tirés, il n'était pas encore très fort. Il pleurait... "Votre petit frère est parti vers Dieu", nous dit-il d'une voix entrecoupée de sanglots. Le petit Bernard aurait eu quatre ans le jour même de sa mort...

Lorsque la guerre fut terminée, mon père obtint le poste de directeur de la station électrique de Millery, et toute la famille retourna vivre à Nancy — où j'étais né. C'est à cette époque que j'ai commencé l'école. Je me souviens encore de l'anniversaire de mes sept ans comme d'un événement extraordinaire. En fait, je venais d'atteindre l'âge de raison; il était donc normal que je croie franchir une étape importante de ma vie. Cette impression était d'ailleurs renforcée par la nouvelle tête qu'on m'avait faite pour la circonstance... Car il faut dire qu'au temps de ma jeunesse il était de bon ton de laisser aux jeunes enfants leurs cheveux longs: on les bouclait avec des bigoudis chaque soir, avant le coucher. Plus tard, on m'avait fait couper les cheveux à la "Jeanne d'Arc", selon l'expression d'alors... Mais le jour de mes sept ans, j'eus droit aux cheveux courts. Physiquement, je me sentais déjà un homme. C'était une sensation enivrante!

* * *

Puis, ce fut le retour à Paris, où mon père se réinstallait. Nous habitions en face des fortifications Vauban, qui protégèrent autrefois la capitale et qui, à présent, constituaient notre champ de bataille favori lorsque nous jouions à la petite guerre.

Peu de temps après, nous entrions, mon frère Jean et moi, au collège Stanislas. Nous devions rester pensionnaires dans cette caserne d'enfants, car nos parents partaient pour un long voyage à travers les Etats-Unis et l'Océanie. Comme je disais, c'était une véritable caserne. Chaque enfant n'était guère plus qu'un numéro soumis à des règlements sévères (qu'on nous appliquait généralement à la lettre) dictés par la plus froide des logiques répressives, mais où le coeur n'avait aucune part. Vêtus de nos uniformes anonymes, raides et étriqués, nous ne tardions pas à apprendre les lois de la survie, qui tenaient toutes, en fin de compte, dans la vieille formule: "Pas vu, pas

"Vêtus de nos uniformes anonymes, raides et étriqués, nous ne tardions pas à apprendre les lois de la survie."

pris". C'était donc le règne de la tricherie et de l'hypocrisie — et il faut parfois bien peu de chose pour fausser la conscience malléable des enfants. "Fais gaffe! V'là le pion!" C'est à cela, au fond, que se résumait notre vie de collégiens: un degré spécial de la clandestinité et une version édulcorée de la loi de la jungle...

Evidemment, comme dans tous les collèges — comme dans tous les groupes —, il y avait les bons sujets, les enfants sages: c'était à eux qu'allaient les faveurs des pions. Quant aux rebelles, aux indisciplinés qui se retrouvaient constamment à la queue de leur classe, eh bien! ils n'étaient pas particulièrement choyés par leurs professeurs. Je dois tout de suite préciser que j'appartenais d'emblée au second groupe; pions et professeurs me couvaient souvent d'un oeil qui n'avait rien de réconfortant. Mon frère, lui, faisait partie de la catégorie des bons élèves. Déjà à cet âge, il était sérieux et travailleur. Il était si bien vu des autorités qu'on lui donna, un jour, le privilège de jouer le rôle du Christ dans une représentation de la Passion. Pour ma part, je ne pouvais prétendre à un rôle qui me ressemblait si peu... Je suis convaincu, cependant, qu'on aurait infailliblement pensé à moi pour un rôle de Lucifer ou de Belzébuth!

Mon frère et moi nous entendions très bien; nous étions très attachés l'un à l'autre. Même nos querelles et nos bagarres — comme en ont tous les frères du monde — ne faisaient que renforcer notre attachement mutuel. Mais Jean ne se contentait pas de m'en remontrer dans les études: il avait le dessus même dans nos batailles. Incontestablement, c'était lui le plus fort: le bon dominait le mauvais... Il me reste des souvenirs impérissables de ce cher grand frère, qui disparut prématurément en 1963, à Pétra, emporté par un torrent avec un groupe de vingt-quatre pèlerins. J'aurai l'occasion de reparler de cet homme exceptionnel qui a joué un rôle important dans ma vie.

C'est aussi au collège Stanislas que je reçus les premières bribes de mon éducation sexuelle. Bien sûr, nos professeurs n'y étaient pour rien... Et ce que j'aurais dû apprendre dans ma famille, ce furent des condisciples plus délurés qui me le révélèrent. Je me rendis bien vite compte que mes parents m'avaient toujours caché la vérité sur les "choses de la vie". On m'avait trompé. Il fallut que ce soient mes camarades qui se chargent de me donner des notions, ou des conseils, beaucoup plus érotiques que sexuels.

Jean: "Il me reste des souvenirs impérissables de ce cher grand frère, qui disparut prématurément en 1963."

Il faut bien dire que je trouvais un intérêt incontestable à l'apprentissage de toutes ces nouveautés. Mais la théorie ne me suffisait pas. C'est pourquoi je profitai de vacances que nous passions dans un château non loin de Vésoul, chez des cousins éloignés, pour étudier les choses de plus près. Je voulais à tout prix vérifier de visu ce que mes camarades m'avaient dit: il ne faut pas toujours croire les gens sur parole... Dans le parc du château, je déculottai donc une petite cousine pour voir comment une fille était faite — moi qui n'avais que des frères. Pas de chance: je me fis pincer par la grand-mère de cette petite innocente... J'imagine qu'elle ne comprit pas très bien toute la portée scientifique de cette étude en soi fort sérieuse, car elle m'arracha prestement mon sujet d'expérience... Bien sûr, le tout s'accompagna des hauts cris qu'on imagine: l'anathème sur moi... J'étais Satan incarné, un voyou, un bon à rien, pas un assassin mais presque! Avouez qu'il y avait là de quoi fruster durablement un enfant poussé par une curiosité on ne peut plus naturelle. Comme il fallait s'y attendre, l'incident ne fit qu'accroître mon intérêt pour l'étude de ces entre-jambes illogiquement interdits. Je pense qu'il aurait été préférable de me laisser tout examiner, quitte à m'expliquer ensuite ce que je pouvais comprendre à mon âge. Le problème aurait été résolu d'un seul coup et j'aurais été satisfait. Aujourd'hui, quand je repense à cette scène du château de Villerpoz, j'en ris comme d'une gaminerie, d'autant plus que l'aventure, ou ce qui m'en est resté, m'a permis de donner de bons conseils à bien des parents préoccupés par l'éducation sexuelle de leurs enfants.

* * *

En 1925, ma mère, qui était atteinte de sclérose en plaques, se mit à aller de plus en plus mal. La maladie la rongeait depuis longtemps, mais ce n'est qu'à cette époque que ses ravages se firent sentir dans toute leur étendue. Alors que nous étions en vacances à Baule-les-Pins, elle subit un accident qui ne fit qu'aggraver son état. Elle était assise en haut d'une petite falaise qui dominait la plage où nous jouions, mes frères et moi, en compagnie de notre père. Elle gardait auprès d'elle son dernier-né, le septième garçon de la famille, qui était encore un bébé. Lorsqu'elle voulut se lever, elle fut prise d'un étourdissement et tomba dans le vide. Quand je pense à cette journée, il me semble entendre encore le bruit mat, le choc sourd du corps de ma mère qui s'écrasait sur la plage. Je revois mon père, bouleversé, qui court vers elle, étendue sur le sable, incapable de se relever. Nous la croyions morte. En fait, elle n'était même pas évanouie: elle souffrait et geignait légèrement, une grimace de douleur crispant les traits de son visage.

Malgré tout, elle survécut. Cependant, elle ne s'en remit jamais complètement et traîna ce qui lui restait de vie jusqu'à l'âge de trente-huit ans. Elle s'éteignit après une agonie de vingt-quatre heures, à laquelle j'ai assisté... Je ne sais plus qui a dit, à ce moment, que ma mère était morte de chagrin à cause de ma mauvaise conduite... De toute ma vie, je n'ai jamais oublié cela: on ne peut trouver plus horrible façon de déformer les faits!

Comme pour donner raison à ceux qui s'acharnaient à me traiter de bon à rien et de voyou, je me mis, peu à peu, à mener une drôle de vie. J'étais en plein désarroi, plus rien ne m'intéressait: je me jetai donc rageusement, avidement, dans la dissipation et les plaisirs. En peu de temps, j'avais perdu ce qui me restait d'innocence, en compagnie de femmes chez qui nous résidions pendant nos vacances en Normandie. Je partais avec l'une ou l'autre dans une petite voiture tirée par un cheval. Nous gagnions la forêt où, dans une cachette propice, je pouvais approfondir à loisir les études sexuelles si malencontreusement interrompues autrefois. Je me souviens qu'un jour mon père m'avait surpris en fâcheuse posture dans la salle commune de cette pension de famille. Le pauvre homme était au désespoir; il ne savait vraiment plus ce que j'allais devenir...

L'absence de notre mère commençait à se faire cruellement sentir. Je pense que mon père s'en rendait compte. Avant que les choses ne prennent une tournure vraiment mauvaise, il fallait faire quelque chose. C'est quelque temps plus tard qu'il trouva la solution.

Premiers regards vers l'Arctique

Vers l'Arctique

Mon père, très pris par ses occupations d'industriel, était obligé d'employer des personnes pour s'occuper des travaux domestiques. Nous avions donc une bonne et une femme de chambre qui s'occupaient de bien tenir la maison. Bien sûr, ces femmes ne correspondaient pas toujours à ce qu'on pouvait en attendre. Par exemple, mon père avait dû en congédier une qui détournait de l'argent à son profit; une autre fut remerciée parce qu'elle brutalisait mes jeunes frères.

Il en vint une, enfin, qui, après avoir juré que jamais elle ne resterait dans cette galère (nous étions à ce moment cinq garçons, deux étant morts, et nous déplacions beaucoup d'air autour de nous), se prit de sympathie pour ces orphelins de mère. Elle-même avait perdu sa mère très jeune et était, par le fait même, plus sensible aux problèmes que posait notre condition.

Un jour, donc, arriva ce qui devait arriver: mon père nous réunit tous les cinq et, fort courtoisement, nous demanda la permission d'épouser cette personne. C'est ainsi que nous avons eu, de nouveau, une mère. Mon père avait pris, ce jour-là, une heureuse décision: cette aimable femme se montra constamment à la hauteur du rôle qui lui était confié, de sorte que je lui témoigne, aujourd'hui encore, beaucoup d'affection et de reconnaissance.

Mais cela ne pouvait suffire à me faire changer de vie du jour au lendemain. Il fallait pourtant que quelque chose arrive, sinon je risquais de tourner mal... Un jour que mon frère aîné me faisait une réprimande — je ne sais plus à quel sujet —, je me fâchai jusqu'à en perdre la tête. Grondant de rage, je courus décrocher un grand sabre chinois pendu au mur, le dégainai et me précipitai vers mon frère — qui, bien sûr, n'en menait pas particulièrement large — comme pour le transpercer. Je suis encore persuadé, maintenant, que jamais je n'aurais mis ma menace à exécution. Mais c'était là, en soi, une manifestation inquiétante de mon tempérament bouillant: cette colère stupide pourrait, quelque jour, me pousser trop loin... C'est sans doute ce que pensait ma belle-mère en me disant gentiment d'aller voir mon père dans sa chambre. Lorsque j'entrai, je trouvai le pauvre homme en train de sangloter, étendu sur son lit. Il pleurait de chagrin, je m'en rendais bien compte. Au bout d'un moment, il leva vers moi ses yeux rougis et me dit:

— Je ne pensais pas qu'un des mes fils aurait des instincts d'assassin...

— Mais... je ne voulais pas... essayai-je de répondre — mais je ne pus poursuivre, trop bouleversé par la vue de ce chagrin.

A présent, je sais que s'il avait essayé de me brusquer, je me serais rebiffé. Mais que faire devant son père qui pleure? Ma seule réaction devant la détresse paternelle fut d'éclater en larmes à mon tour. Comme j'aurais voulu lui faire comprendre à quel point je regrettais mon geste impulsif! En toute vérité, je puis dire que, ce jour-là, j'eus affreusement peur de moi-même. Il n'y a pas longtemps, j'ai relevé dans *Le livre de la vie* de Martin Gray un très beau passage qui éclaire ce que je viens de dire: "Ce que l'on donne à un enfant, il le rend un jour, et ce qu'on lui refuse, il le refuse. Et le mal qu'on lui fait, il peut le faire mais si on gonfle ses jeunes voiles au souffle de la force, du courage et de la droiture, alors il vogue et sait affronter la tempête."

J'avais beau prendre les plus sublimes résolutions, je ne m'assagissais pas pour autant. Bientôt, ma mauvaise conduite me valut d'être mis à la porte du collège Stanislas, puis de l'école Montalembert, et plus tard de l'école Massillon, de sorte que je dus finalement faire ma rhétorique et mes classes de philosophie au pensionnat de Passy (aujourd'hui l'école Saint-Jean-de-Passy). Mon père ne savait vraiment plus par quel bout me prendre. En désespoir de cause, supposant que cela m'aiderait à me corriger, il me fit entrer chez les scouts. Sans trop le savoir peut-être, il venait de me fournir ma planche de salut.

Je me retrouvai donc dans la patrouille des Chamois. C'est alors que je fis la connaissance d'un aumônier que je n'oublierai jamais. Le brave homme ne cessait de me répéter que je pouvais bien faire, que je pouvais parvenir à tout réaliser à force de persévérance et de volonté. "Ne venez surtout pas me dire que vous n'êtes bon à rien, faisait-il avec conviction; il suffit de vouloir vraiment pour pouvoir." Un tel langage contrastait vivement avec les propos auxquels j'avais été habitué. On me présentait enfin un véritable défi à relever, et je n'avais pas envie de lui tourner le dos. J'ai gardé une profonde reconnaissance envers le scoutisme, qui m'a permis de découvrir que personne n'est foncièrement bon ou mauvais, mais que tout dépend de l'orientation qu'on donne à ses facultés et à ses tendances.

Heureusement, j'avais le goût des défis et le sens de la lutte. J'avais le culte du héros et de la gloire. Je me souviens très bien qu'à l'école Montalembert, mes camarades et moi suivions avec intérêt tout ce qui ressemblait de près ou de loin aux rêves épiques que nous faisions. Ainsi, nous avions été profondément impressionnés en apprenant la tentative de traversée de l'Atlantique par Nungesser et Coly, puis bouleversés par leur disparition... De même, nous admirions Lindbergh, qui représentait pour nous un aspect, une illustration du destin idéal que nous souhaitions. C'est le propre de la jeunesse, que de vouloir imiter et même surpasser ses héros. Quant à moi, à l'époque, j'aurais voulu devenir un champion de n'importe quoi, une vedette de cirque par exemple, ou un comédien de renommée internationale — quelqu'un, en fait, que les foules auraient applaudi, ni plus ni moins qu'une sorte de demi-dieu, un montre sacré frappé par la gloire... Rêves fous de la jeunesse!

C'est peut-être sous l'impulsion de sentiments de ce genre que je devins clown et prestidigitateur amateur. Avec un groupe de camarades de collège, nous avions fondé une petite troupe ambulante et donnions des représentations dans les théâtres des patronages. Les revenus que nous en retirions servaient à couvrir nos frais et à aider certaines

"Nous avions fondé une petite troupe ambulante."

personnes particulièrement démunies. Au début, nous avions un trac fou; puis, graduellement, cette peur des foules a disparu. En fait, ces expériences m'ont énormément profité: depuis ce temps, il n'y a pas un public qui puisse m'impressionner.

Mais le scoutisme m'avait appris à dépasser ce stade élémentaire, ce goût de la gloriole. Je commençais à comprendre qu'il s'agissait de chercher le vrai bonheur, et non pas ce contentement artificiel qui en tient souvent lieu. Je savais, désormais, que ce bonheur authentique commence au moment même où l'on cesse de le rechercher pour tâcher de le donner aux autres.

Dans cet ordre d'idées, je me souviens de la leçon que nous avait donnée un scoutmestre... Nos patrouilles devaient suivre des pistes dans le bois de Fontainebleau, pour trouver un message qui y avait été caché au préalable. La patrouille qui trouverait ce message accomplirait ce qu'il demandait. Comme toujours en pareille circonstance, nous trouvions sur notre chemin des signes de piste, que tous les scouts connaissaient et qui servaient à orienter nos recherches. A un détour du chemin, un clochard en haillons gisait par terre — peut-être ivre-mort, peut-être malade, peut-être blessé, comment savoir? Les patrouilles, hantées par leur recherche du message, passèrent donc sans même porter attention à cet être si peu intéressant. Pourtant, une patrouille s'arrêta près du pauvre homme et décida d'un commun accord: "Tant pis pour le message; nous ne pouvons pas laisser cet homme sans secours." Sans perdre de temps, ils construisirent un brancard de fortune avec des branches et des cordes, puis ils y déposèrent doucement le corps du clochard pour ensuite le transporter hors de la forêt, vers le camp. Or, le clochard n'était pas ce qu'ils avaient cru: en réalité, il s'agissait du scoutmestre qui, bien sûr, avait pris soin de se déguiser et de se maquiller pour qu'on ne le reconnaisse pas, avec des habits sales et puant l'alcool. Comme il se doit, la patrouille fut félicitée d'avoir été la seule à comprendre le message... C'est une leçon que je ne devais jamais oublier.

* * *

A cette époque, les missions catholiques — implantées un peu partout dans les pays défavorisés, chez les exploités du système colonialiste — semblaient offrir la solution par excellence pour tous ceux qui étaient possédés par le besoin de se dévouer. L'Afrique, particulièrement, constituait alors un territoire où pouvaient être mobilisées toutes les âmes généreuses qui désiraient dépasser le niveau des bonnes intentions. Comme un de mes camarades de collège parlait d'entrer chez les Pères Blancs pour aller se dévouer en Afrique, je commençai à envisager sérieusement la possibilité d'en faire autant. Puis, j'entrai moi-même en contact avec les Pères Blancs et, de fil en aiguille, je fus pourvu d'un guide spirituel — un mentor. Pourtant, un petit obstacle se présentait avant même que rien n'ait été entrepris. C'est que... je n'avais, au fond, pas tellement envie d'entrer chez les Pères Blancs. Mon manque d'enthousiasme, disons-le tout de suite, n'avait rien à voir avec les bons Pères! Il s'agissait plutôt du camarade dont je viens de parler, qui m'avait inspiré l'idée — puis l'envie — de partir aider les pauvres gens d'Afrique... mais qui avait tendance à vouloir me dominer. Et avec mon caractère indépendant, avec ma nature emportée et orgueilleuse, cela risquait d'amener de singulières frictions...

Mon orientation, donc, demeurait imprécise. Mais comme ma foi était devenue solide comme un roc, je ne doutais pas que tout s'arrangerait en temps opportun.

De son côté, mon frère aîné, Jean, était entré au séminaire de Saint-Sulpice puis, malgré le désappointement de mon père, avait fait l'expérience de vivre en prêtre-ouvrier. Tout ce temps, il travailla comme manoeuvre, aux usines Renault. Il en était déjà là, alors que moi je tirais encore de la patte, retardé de deux ans par mon insuccès au bachot à la première année de rhétorique. Mais lui, il allait son chemin. Plus tard, Jean Steinmann devint une personnalité bien connue dans le monde de la littérature et de l'exégèse, ayant écrit plus de trente ouvrages au cours de sa vie sacerdotale. C'était un travailleur acharné, un liseur infatigable. Je revois les quatre murs de sa chambre couverts de livres, du plancher au plafond.

Un jour, il m'appela et me tendit un livre: c'était l'*Epopée blanche* de Frédéric Rouquette. "Lis cela, me dit-il; je crois que tu vas y trouver ce qui te convient." Je me plongeai donc dans la lecture de cet ouvrage qui décrivait la vie et les moeurs des Esquimaux. Bien vite, je me trouvai fasciné par ce peuple si mal connu à l'époque. Je me sentais attiré vers ces gens qui, à mon avis, étaient les plus éloignés, les plus isolés et les plus pauvres de tous les humains, perdus parmi les glaces polaires, aux confins du monde, à la merci du froid, de la maladie et de la faim. Déjà, j'entrevoyais le défi qui m'était proposé — et que j'avais diablement envie de relever au plus vite. J'avais besoin de me dévouer et j'étais possédé par ce goût de l'aventure si naturel chez les jeunes remplis d'énergie. Tout concourait, en fin de compte, à m'orienter vers cet Arctique si fascinant... Ne restait plus qu'à trouver le moyen de m'y rendre...

J'avais entendu dire que les Oblats de Marie-Immaculée, ordre dont je ne connaissais pour ainsi dire rien, étaient ceux qui fournissaient les missionnaires de ces régions perdues. Donc, sans perdre de temps, je me mis à la recherche de ces fameux Oblats — et ce, malgré les protestations véhémentes de mon mentor des Pères Blancs. Et c'est ainsi qu'un jour je me présentai à leur Père Provincial, qui habitait à Paris, pour offrir mes services et demander à partir pour l'Arctique et ses missions esquimaudes.

Bien sûr, je n'avais pas, jusque-là, mené une vie tout à fait exemplaire... j'avais maintes fois poussé quelques reconnaissances assez loin des sentiers de la morale et de l'éthique chrétiennes... Ça je le savais, et d'ailleurs je n'avais pas du tout l'intention de le cacher. C'est pourquoi je ne me trouvais guère qualifié, en toute conscience, que pour aider comme laïc — ou, au plus, comme frère coadjuteur.

Je racontai donc un peu ma vie au Père Provincial. "Advienne que pourra, me disais-je. Le pire qui puisse arriver, c'est qu'il se fâche et me mette à la porte." Mais lui, loin de se montrer effarouché ou rebuté par le récit de mes folies de jeunesse — que je lui présentais avec tous les détails possibles, désireux de ne rien laisser au hasard et d'éviter tout malentendu —, me dit très calmement:

— Vous avez reçu une bonne éducation; vous faites preuve de bonne volonté. Alors, pourquoi ne pas essayer d'être missionnaire dans le sacerdoce?

— Je ne crois pas que j'en serai capable, avouai-je sans détour.

— Vous pouvez toujours essayer, suggéra-t-il avec un sourire apaisant. Vous verrez bien. Si ça ne va pas, il sera toujours temps de changer de direction.

Evidemment, ça ne coûtait rien de tenter ma chance. Peut-être, après tout, arriverais-je à un résultat positif, et ce malgré ma peur: peur de moi-même et peur de devoir affronter une tâche au-dessus de mes forces... L'argument du Provincial était convaincant... "Pourquoi pas?" me disais-

1931... Jean et moi: "L'un sérieux et travailleur, l'autre indiscipliné et cabochard."

je. A tout prendre, je n'étais certainement pas pire qu'un certain saint Augustin qui avait tout de même réussi pas mal de choses dans sa vie... C'est ainsi qu'à l'âge de dix-neuf ans, j'entrai chez les Oblats. On me donna un nouveau mentor, un bon Père que j'allais voir toutes les semaines pour lui confier mes doutes et lui demander du réconfort... J'en avais d'ailleurs bien besoin! Ce n'est pas si facile de changer de vie. On a beau être plein de bonne volonté, la transformation ne s'effectue pas du jour au lendemain. Plus que jamais, je comprenais le sens profond du vieux dicton qui, jusque-là, m'avait paru si banal: "Chassez le naturel, il revient au galop." Il y avait des périodes où je n'étais vraiment plus capable de tenir le coup. Les vieux plaisirs de mon ancienne vie me tentaient de nouveau... Et, bien souvent, je retombais dans mon ornière. C'était dans de telles circonstances que mon guide Oblat se montrait utile. Chaque fois, je sortais de chez lui rempli d'un nouveau courage et de confiance en l'avenir. J'avais quand même fini par comprendre que mon cas n'avait rien de désespéré. Après tout, le Christ avait bien choisi des rustres pour en faire ses apôtres... C'était sûrement pour que le monde comprenne que c'est LUI qui fait tout le boulot, même s'il utilise des instruments mal foutus.

Je résolus donc de devenir, coûte que coûte, un de ces instruments gauchis et branlants, qui aiderait à l'édification d'une société plus juste, où le véritable amour doit être le seul moteur. Par conséquent, je m'attelai à la tâche et fis mon année de philosophie universitaire, toujours guidé par mon Oblat et consacrant mes temps libres à travailler dans les patronages et les colonies de vacances populaires. Puis, quand l'année de philosophie fut terminée, je me préparai à partir pour le noviciat des Oblats de Marie-Immaculée, situé sur l'île de Berder, dans le golfe du Morbihan.

Avant d'entrer au noviciat, il fallait se munir d'un trousseau. C'est-à-dire que le futur novice était tenu d'acquérir une soutane, un camail, une barrette et un chapeau de curé (vous savez, le vieux chapeau à gouttières). Dans mon cas, les choses n'allèrent pas toutes seules, mon père refusant catégoriquement de me payer ces articles cléricaux parce qu'il était convaincu qu'avant longtemps je flanquerais la soutane aux orties. Il fallut donc que ma bellemère, comme une vraie maman, me procure elle-même les éléments de ce trousseau. Cela fait, il n'y avait plus le moindre obstacle. Peu après, je prenais le train pour Vannes.

A la gare, je fus accueilli par un grand frère parisien. J'avoue que ça faisait du bien de se retrouver en compagnie d'un Titi de chez nous... Puis, il fallut traverser en barque, car Berder est une presqu'île à marée basse, mais une île à marée haute.

Tout commençait par un postulat d'environ une semaine; puis c'était la prise d'habit. C'est à ce moment qu'on endosse la fameuse soutane: aussi vite que ça, on se trouve embrigadé dans l'épreuve initiale... Le mot n'est pas trop fort: il s'agissait bien d'une véritable épreuve! C'est une dure période, par laquelle il faut bien passer, où le maître des novices s'évertue à briser notre orgueil, où l'horaire très chargé ne nous laisse pas le moindre moment d'oisiveté ou d'inaction... Et moi, je me voyais coller des corvées comme celle de sacristain, ou chef des travaux manuels — où le maître des novices pouvait, tout à loisir, mettre à l'épreuve la sincérité de mon engagement.

L'île de Berder.

Engueulades imméritées, critiques gouailleuses de travaux que nous avions effectués avec coeur... On ne peut pas dire qu'on nous poussait à avancer. Il fallait que la décision d'aller de l'avant vienne de nous-mêmes. Bien sûr, cette vie n'avait rien de facile ou d'attrayant, de sorte que parfois la réserve de courage tombait à plat — tout à fait à plat. A ce moment, on allait voir le maître des novices, complètement découragés, persuadés de faire fausse route. La mine déconfite, on lui avouait nos défaillances, on lui faisait part de nos doutes; et lui, presque infailliblement, parvenait à nous redonner courage et confiance. Je ne pourrai jamais oublier cet homme, cet Auvergnat sévère mais profondément compréhensif, ce véritable maître de l'école de la volonté. Véritable administrateur, meneur d'hommes, organisateur et merveilleux guide spirituel, le R. P. Alazard est mort comme un saint à Pontmain.

Cet homme connaissait l'art de frapper durablement les imaginations. Ainsi, à la cérémonie de nos premiers voeux de religion, à la fin de notre noviciat, il entama ainsi sa causerie: "Il y avait six cruches (nous étions six à prononcer nos voeux); elles furent remplies d'eau insipide... eau que le Christ allait changer en vin. Eux non plus, ils n'ont rien de bon, ils sont sans saveur: mais le Christ les transformera!" Pas bête, cette petite comparaison, et inspiratrice comme tout! En tout cas, moi, ça m'avait frappé. Ces mots m'étaient restés gravés dans la tête, de sorte que plus tard — et même beaucoup plus tard — je me suis souvent surpris à dire au Patron, dans mes prières: "Remplissez donc la cruche de quelque chose de bon!"

Tout cela était bien beau et bien édifiant... Mais, sur un plan un peu plus terre à terre, je dois dire que j'éprouvais d'horribles difficultés à m'habituer au port de la soutane — et je n'étais pas le seul. Terrible, ce que la soutane pouvait être malcommode! Imaginez! Quand on veut grimper les escaliers quatre à quatre, pas moyen de ne pas s'accrocher les pieds dedans... Et alors, bang! on se ramasse le menton sur le bord d'une marche... On a beau vouloir pratiquer toutes les vertus et planer tranquillement vers la grande sainteté, ça s'oublie d'un seul coup... et on se retrouve à se frotter la gueule, exaspéré, grondant "merde!" et bien d'autres choses — tout cela juste sous le nez du maître des novices. Et celui-ci vous dit très aimablement, trop aimablement: "Voyons, frère, courez-vous ainsi après la modestie religieuse?"... Alors, on ravale la seule réponse possible: "Père, elle va trop vite, je ne peux pas la rattraper", et l'on baisse la tête avec un air contrit, attendant qu'il disparaisse pour reprendre la course.

Un jour, alors que je courais dans un couloir, voilà que la vaste poche de ma soutane (on dit que ces poches pouvaient contenir quatre litres) s'accroche à une poignée de porte... et crac! la soutane qui se déchire jusqu'en bas. Je mis les freins — mais trop tard! J'ai donc dû m'accuser d'un manquement à la modestie et à la pauvreté, puis me mettre les bras en croix et baiser la terre. Souvenirs qui, loin de m'exaspérer, me font encore sourire... Car j'ai appris qu'on ne forme pas des hommes avec du sucre ou du nougat. Celui qui n'a pas été éprouvé ne sait rien; il aura du mal à affronter les difficultés de la vie.

* * *

Le noviciat terminé, ce fut le départ pour le scolasticat. Les Oblats, qui avaient été expulsés de France par le ministre Combes, avaient installé leur scolasticat dans le vieux casino de Liège (Luick) situé à côté de l'église Saint-Lambert, au pied d'anciennes fortifications de style Vauban.

En route, je pus m'arrêter à Paris, où l'on m'avait permis de passer quelques jours avec ma famille. Je vous jure que ça fait une drôle d'impression, de se retrouver en soutane dans les rues de Paris ou dans le métro. On se sent tout dépaysé. On a l'impression que tout le monde nous regarde comme pour dire: "Eh! mon pote, qu'est-ce qui t'est donc arrivé?" Tout est différent, il faut toujours se méfier des gestes qu'on va poser — les gestes du civil d'autrefois. Par exemple, en sortant du métro, plus moyen de grimper les escaliers à la volée — toujours cette fichue soutane! On ne peut tout de même pas risquer de s'étaler devant les gens, quand on est revêtu du "saint habit"! On n'a pas le choix: il faut absolument prendre un air digne, un petit air inspiré, et reléguer les envies de courir aux souvenirs de jeunesse. La soutane offrait peut-être certains avantages — je ne sais pas encore très bien lesquels —, mais il faut reconnaître que la vie est beaucoup plus facile depuis que nous pouvons nous habiller comme tout le monde.

Il ne faudrait pas oublier, non plus, que l'uniforme comportait également un parapluie. Le fameux "pépin", comme on disait. Alors, forcément, tout cet attirail n'était pas fait pour éviter les rigolades. A nous voir passer, bien des gens ne pouvaient retenir un joyeux croassement. A ce moment, le "pépin", ou du moins la main qui le tenait, ressentait une furieuse envie, une démangeaison de s'abattre sur l'imitateur du corbeau. Mais le Patron avait dit à Pierre de rengainer son épée!...

Au niveau du scolasticat, les événements se précipitèrent. Tout se mit à aller vite — bien plus vite que je n'aurais jamais osé l'espérer. En effet, comme j'avais fait ma philosophie universitaire et que l'on prétendait avoir besoin de personnel un peu partout dans le monde, on me dispensa d'une année de philosophie scolastique. Je sais bien que je ne serai jamais canonisé pour ma patience: j'étais donc complètement ravi de pouvoir faire ce bond en avant, de me rapprocher avec une vitesse inespérée du but que je visais. De plus, je considérais avec allégresse que j'échappais du même coup à toute une année de cours de latin — car j'avoue que je ne brillais pas particulièrement dans cette langue (peut-être un peu trop morte pour convenir à mon caractère). Il me restait encore peu de temps à torturer la langue de Virgile: bientôt, je pourrais passer à l'action...

La longue attente

Ce fut à cette époque qu'il nous fallut faire ce qui s'appelait la préparation militaire. Cette préparation consistait en un entraînement, à la fois théorique et pratique, en vue du service militaire proprement dit. Il nous était permis, cependant, de choisir notre corps de service, si nous étions reçus à l'examen appelé: Brevet de préparation militaire. Evidemment, le choix ne nous revenait pas directement: il était effectué par nos autorités religieuses. Pour ma part, je fus désigné pour la première compagnie du "train des équipages", à Lille — autrement dit, les transports.

On encourageait fortement les séminaristes à faire l'école des officiers de réserve. Mais je préférai demeurer parmi les soldats, de sorte que je me contentai de faire le "peloton des caporaux", c'est-à-dire que j'étais incorporé dans le groupe des jeunes soldats qu'on entraîne pour en faire des caporaux.

Il faut bien comprendre que le fait d'arriver à la caserne en soutane ne contribuait pas automatiquement à attirer le respect. Mais ce n'était pas long, la soutane ne tardait pas à disparaître dans nos bagages, aussitôt remplacée par l'inévitable uniforme bleu azur... Ah! pour être bleu, il l'était! C'est pourquoi, d'ailleurs, on nous appelait les "bleus", nous, les nouveaux arrivés à l'uniforme impeccable. Nous tranchions fortement sur le groupe des anciens, dont les uniformes étaient quelque peu délavés et défraîchis.

Une tradition tenace de la vie de caserne voulait que les bleus paient la tournée de pinard aux anciens. Pas moyen, il fallait y passer: la coutume était aussi solidement établie que l'armée française elle-même. Le lendemain de notre arrivée, donc, les bleus se trouvaient réunis dans leur chambrée et faisaient boire les anciens. C'était bien dommage, mais, personnellement, je ne me sentais pas particulièrement emballé par l'idée de participer à la beuverie qui s'annonçait. Je restais dans mon coin, attendant les événements et observant les gars qui s'envoyaient des rasades dans le gosier comme si c'était de l'eau. Bientôt, un ancien qui se donnait des airs de dur à cuire s'approcha de moi.

— Alors, curé, dit-il d'un ton goguenard, qu'est-ce que tu casques pour la tournée de pinard?

— Est-ce que ça te gêne que je sois curé? répliquai-je en le fusillant du regard, prêt (en toute charité, bien sûr) à mettre en pratique ma connaissance du jiu-jitsu.

— Non, répondit-il en reculant d'un pas, l'air effaré; non... c'est pas...

— Bon! fis-je, l'interrompant et lui tapant gentiment sur l'épaule; écoute, mon pote: je ne participerai pas à vos beuveries en vous aidant à vous soûler la gueule... Mais je paie les cigares et les amuse-gueules."

LONGLAC PUBLIC LIBRARY

Cela suffit à clore l'incident. Les anciens étaient satisfaits: ils avaient essayé de m'impressionner, ça n'avait pas marché — on n'en parlait plus. Tout de même, je n'avais pas envie de rester sec du palais toute la soirée. C'est pourquoi j'avais, moi aussi, pris mon quart (le gobelet de l'armée) où l'on avait versé un peu de pinard. Je le sirotais très lentement, ne voulant absolument pas en ingurgiter un deuxième. Il faut bien croire qu'un des anciens avait remarqué mon manège, puisqu'il s'approcha de moi, un peu éméché et l'air hilare, disant:

— Alors, curé, t'as peur de te soûler?

Puis, comme je haussais les épaules et continuais de siroter mon pinard sans trop m'occuper de lui, il monta sur le rebord de la fenêtre déjà ouverte.

— Regarde bien ça, curé, cria-t-il en ouvrant sa braguette, puis en se mettant à pisser dans la cour. Tu vois, curé, quand on a envie de pisser, c'est comme ça qu'il faut s'y prendre.

Il parlait tout en exhibant son outil poilu, l'air tout à fait convaincu de m'avoir porté le coup décisif... Je ne pus m'empêcher d'éclater de rire.

— Mon vieux, lui dis-je d'une voix forte, si j'avais un outil aussi moche et sale que le tien, je le cacherais!

Aussitôt, de gros rires éclatèrent dans la salle et le gars, tout déconfit, rengaina prestement son ustensile, n'osant même plus me regarder.

Au cours de mon service militaire, j'ai rencontré toute sorte d'individus. C'est, par le fait même, une expérience qui peut devenir très instructive. Si l'on s'en donne la peine, on trouve une source unique d'enrichissement humain au contact de ces gens issus de toutes les couches de la société, qui vivent dans notre entourage immédiat pendant toute la durée du service militaire. A la caserne, tout le monde est sur le même pied, les différences de classes abolies sous un même uniforme et une même discipline. A ce moment, il ne reste plus que l'amabilité, la compréhension unies à la force de personnalité pour susciter l'amitié et le respect.

Je me souviens, entre autres, d'un camarade de régiment, militant communiste, qui ne se gênait pas pour me dire à quel point il détestait les curés. Moi, ça ne me dérangeait pas du tout; je le laissais dire. Et comme je lui témoignais malgré tout beaucoup de sympathie, il finit par m'avouer, avec une belle naïveté, qu'à ses yeux je n'étais pas un curé comme les autres.

— Tu n'en sais absolument rien, espèce de crétin, lui disais-je; tu me dis que tu n'en as jamais fréquenté!

Un jour, on lui découvrit un début de cancer. Bien entendu, le pauvre gars prit très mal la chose et ne tarda pas à devenir extrêmement déprimé. Il lui fallait quitter l'armée et sa famille, pour aller à un hôpital de cancéreux. Dans de telles circonstances, je n'avais même pas à me poser de questions, mon devoir était tout tracé. Je me consacrai donc à régler ses affaires, à consoler sa jeune femme — en un mot, à lui rendre de multiples services. Lorsqu'il fallut nous quitter, je lui dis doucement:

— Ne bouffe pas trop de curé... Ce sont eux qui t'aideront le plus.

Il avait les larmes aux yeux en me serrant la main...

Dans le même ordre d'idées, je me souviens de mon adjudant. Un Corse, celui-là, et un vrai! Ce bonhomme-là, c'était le plus pur spécimen du sous-officier qui aime qu'on le prenne pour un officier. C'était déjà pas mal... Mais, par-dessus le marché, il fallait que ce gaillard soit aussi anticlérical! C'était bien ma chance! Il n'avait pas tardé à prendre mon numéro, bien décidé qu'il était à m'en faire baver. Moi, bien sûr, je me méfiais; autant que possible j'évitais de donner prise à sa hargne. Quand il m'adressait la parole, je faisais claquer mes talons et me figeais dans un garde-à-vous impeccable en disant respectueusement:

— Mon adjudant, à vos ordres!

Mais lui, il n'attendait que le moment de me pincer... Et cela vint, un jour de revue où, en tant que brigadier, j'étais responsable de la bonne tenue de la chambrée. Comme d'habitude, il s'amena, pour faire sa petite tournée d'inspection avant que le colonel ne passe. Malheureusement, un des soldats n'avait pas fait son lit au carré — c'était un des aides-cuisiniers.

— Foutez-lui quatre jours! me lance le "juteux".

— Je regrette, mon adjudant, répondis-je en me figeant au garde-à-vous et en lui faisant le salut militaire... Je regrette, mais je ne peux pas punir un gars qui ne le mérite pas.

— Taisez-vous, espèce d'imbécile, rétorqua-t-il furieusement. C'est vous qui aurez les quatre jours!

— Mon adjudant, je serai heureux d'être puni pour un gars qui ne le mérite pas.

— Pas quatre jours, hurla-t-il, hors de lui; c'est huit jours que vous aurez pour vous apprendre à me manquer de respect!

Pas fou, je ne répondis rien. J'attendis qu'il parte, puis je m'empressai de faire le lit du copain... de sorte que, lors-

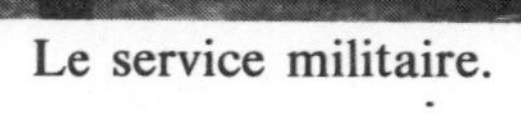

Le service militaire.

que le capitaine fit son apparition en compagnie de l'adjudant et du lieutenant, la chambrée était dans un ordre parfait, les fusils reluisants et les boutons d'uniformes brillant d'un éclat presque aveuglant. J'attends encore mes huit jours de salle de police...

J'eus la chance de passer les derniers six mois avec le service géodésique. J'avais la charge des chevaux, des camions et des motocyclettes que nous utilisions pour les déplacements nécessaires à l'exécution des travaux de triangulation du terrain. Cela me changeait un peu de la routine du régiment, que j'avais connue jusqu'à ce jour. Tout était beaucoup plus simple, l'atmosphère bien plus détendue. Je n'avais sûrement pas envie de me plaindre. Je passais très agréablement mon temps en compagnie de deux capitaines qui trimbalaient à leur suite femmes et enfants, et de plusieurs camarades de régiment. Nos rapports étaient des plus cordiaux; nous en oubliions parfois que nous étions toujours à la caserne, tant la vie que nous menions avait tous les caractères de la vraie vie de famille. C'est ainsi que des amitiés naquirent et que, plus tard, quand je fus ordonné prêtre, un de ces capitaines vint avec sa femme assister à la cérémonie.

A la fin de mon service militaire, ne voulant ni emporter ni laisser de souvenirs trop pénibles, j'invitai mon adjudant à venir prendre un verre avec moi. J'avais alors repris la soutane — j'étais, au fond, un peu curieux de voir comment se comporterait mon Corse anticlérical. Eh bien, il fut tout simplement charmant. Je n'avais plus devant moi qu'un brave homme qui ne ressemblait en rien à l'adjudant gueulard que j'avais connu. Il trouvait remarquable que je me sois débrouillé pour me classer cavalier et chauffeur de première classe. En fait, j'avais réussi à décrocher tous les permis de chauffeur de l'armée: motocyclette, moto avec side-car, véhicule de tourisme, camion lourd, autocar — ainsi que celui de mécanicien de réparations courantes. De plus, je m'étais tiré avec d'excellentes notes des épreuves d'équitation et de voltige. Tout compte fait, ça ne se terminait pas si mal...

* * *

En 1934, après mon service militaire, je retournai au scolasticat des Pères Oblats. A ce moment, ils avaient quitté Liège pour s'installer à la Brosse-Montceau, près de Montereau, sur la route de Paris-Sens. Ce changement de résidence — ce retour chez soi — s'était effectué à la suite des efforts de la DRAC (Droits des religieux anciens combattants). Cet organisme, en effet, avait fait des représentations au gouvernement pour demander un changement d'attitude envers les religieux. L'argument était bien simple: puisque le gouvernement avait accepté les religieux exilés pour servir sous les drapeaux pendant la guerre de 1914-18, il se devait, logiquement, de les accepter aussi comme citoyens à part entière — et non comme les indésirables qu'ils furent en 1902 sous le ministère Combes de funeste mémoire.

La nouvelle propriété du scolasticat était un ancien château entouré d'un très beau parc. Les terres de la propriété comprenaient également une ferme, qu'exploitaient nos bons frères coadjuteurs. La région où s'était implanté le scolasticat était, à première vue, indifférente à la religion — et, à y regarder de près, teintée d'anticléricalisme. L'endroit n'était donc pas une sinécure pour les curés des paroisses avoisinantes. Sans doute ces pauvres prêtres virent-ils le scolasticat s'installer dans la région avec un soupir de soulagement: un secours inespéré leur tombait du ciel — si je puis dire. Et, comme il fallait s'y attendre, les curés ne tardèrent pas à s'adresser à nous pour solliciter de l'aide dans leur ministère paroissial difficile.

Il fut donc décidé de fonder des patronages pour qu'on puisse s'occuper des jeunes, les jours de congé scolaire, les jeudis, les dimanches et pendant les grandes vacances. Comme j'avais déjà oeuvré dans les patronages de la zône parisienne, on me parachuta bien vite dans l'équipe des organisateurs. Au scolasticat, régnait une atmosphère détendue et joyeuse. C'est d'ailleurs à cela qu'il faut s'attendre en pareil cas. Car tous sont volontaires; ils doivent donc, naturellement, accepter de bon gré, avec une soumission parfois entrecoupée de gestes d'humeur et d'impatience (ce qui est tout à fait normal), les méthodes de formation utilisées — même si, parfois, elles s'avèrent un peu rudes. C'est ainsi qu'on forme des hommes. Chacun savait à quoi s'en tenir avant de s'engager dans cette voie. Il n'y a donc pas deux solutions: on doit tout accepter. Sinon, on n'a qu'à rentrer chez soi et ne plus songer à la vie religieuse... Et c'est d'ailleurs ce que certains faisaient. Plusieurs ne revenaient pas, après le service militaire. Vu sous cet aspect, ce temps passé dans l'armée, au milieu d'autres jeunes gens originaires de tous les milieux, est à mon avis tout à fait salutaire.

J'entamais donc, avec enthousiasme, la dernière étape qui me séparait encore de mon but. Je prenais le rythme de la vie du scolasticat. J'aimais bien la façon dont nos études étaient entrecoupées de travaux manuels de toutes sortes: terrassement, nettoyage, décoration, agriculture, artisanat, etc. Ces travaux, en plus d'être excellents pour la santé, nous préparaient efficacement à notre rôle de missionnaire, où nous serions amenés, nécessairement, à faire un peu tous les métiers. C'était une vie simple et tonifiante. Nous étions jeunes; et quand le soir venait, au moment de la récréation après le souper, nous nous promenions dans le parc et laissions notre joie de vivre déborder. Je me souviens que nous chantions parfois à tue-tête... Un jour que nous avions chanté:

> *Célina, ma jolie,*
> *Si je t'aime, c'est pour la vie.*
> *Célina, mon amour,*
> *Si je t'aime, c'est pour toujours...*
> *Barbe à poux, barbe à poux, barbe à poux...*

le supérieur du scolasticat nous fit des remontrances. En réalité, lui-même s'en fichait éperdument... Mais il s'agissait des gens du voisinage, qui s'étaient mis à jaser. Au village, on nous écoutait... Et, à nous entendre, on était convaincu que nous cachions des femmes dans notre propriété pour qu'elles viennent nous distraire le soir, à la faveur de l'obscurité. C'était d'un ridicule achevé. Je ris encore quand je pense à cette tournure d'esprit des bouffeurs de curé. Et ce n'est pas tout! Ces braves gens ne s'en tenaient pas là: pourquoi s'arrêter en si bon chemin? Alors les papotages s'étaient mis à charrier une autre sorte de venin. Des rumeurs circulaient au village, on en était rendu à nous prêter des intentions sanguinaires. D'après ces mêmes ragots, le crucifix qui pendait à notre cou et que nous mettions dans la ceinture de notre soutane n'était rien d'autre qu'un poignard... Eh oui! un poignard, que nous portions en évidence pour satisfaire nos "funestes projets". C'était, encore une fois, la preuve que le grotesque n'a pas de limites!

* * *

Mon frère Jean avait reculé la date de son ordination, afin que nous puissions recevoir le sacrement ensemble. Il avait obtenu des autorités dont je relevais, la permission indispensable, afin que je sois ordonné prêtre à Paris, en même temps que lui.

Tout se passa comme nous l'avions souhaité: nous avons été ordonnés ensemble par le cardinal Verdier, à Notre-Dame-de-Paris. Cette cérémonie semblait couronner parfaitement notre jeunesse passée ensemble: l'un sérieux et travailleur, l'autre indiscipliné et cabochard, tous deux consacrés prêtres. Ce fut une journée inoubliable. Toujours bourré d'idées, mon frère avait imaginé un cadeau d'ordination on ne peut plus approprié: la photo d'un pêcheur qui lance son filet depuis la grève... "le long de la mer de Galilée", selon Marc I, 16. Au verso, était inscrite une citation de Paul Claudel: "Et soudain, comme un grand nuage de tous côtés, sur la paix rase de l'eau, le filet savamment replié à son bras, part, s'épand, s'épanouit..." La citation était accompagnée de nos deux noms: Jean et André. Ce beau rapprochement avec les apôtres du Christ m'a profondément ému, je l'avoue. Mais pourrais-je me montrer digne du grand André dont je portais le nom?... C'était là tout un défi à relever!

Après mon ordination, il me restait encore un an de théologie à faire. Toutefois, selon la coutume, il me fallait tout de suite écrire à mon supérieur général une lettre où je lui faisais part de mes désirs. Je sais que certains se lançaient, pour la circonstance, dans des acrobaties épistolaires tenant sur plusieurs feuillets — mais moi, je n'en avais pas tant à dire. Ma lettre avait quatre lignes: "Je suis entré chez les Oblats pour aller chez les Esquimaux, mais j'ai accepté librement de faire le voeu d'obéissance. Alors, comme feu le Père Vedrenne, ancien légionnaire, je dis: "Donnez les ordres et moi, j'exécuterai." Respectueusement vôtre."

Peu de temps après Pâques, je fus appelé chez le Supérieur.

— Mon cher Père, me dit-il avec bonté, vous venez de recevoir votre obédience pour les missions esquimaudes de la baie d'Hudson.

Je ne pus rien répondre. Brusquement, mon coeur s'était mis à cogner, à en faire éclater ma cage thoracique...

Deuxième partie

Wakeham Bay

Wakeham Bay

L'imagination ressemble parfois à un film qui se déroule à toute vitesse. Tout le monde a l'occasion, au cours de sa vie, de se trouver dans des situations où tout semble se précipiter — comme si la pensée se décrochait de ses supports habituels, s'emballait sans qu'on puisse rien y faire... Et c'est bien ce qui m'arriva quand j'appris mon affectation aux missions de l'Arctique... Même avec la meilleure volonté du monde, je n'arriverais pas à décrire le flot de pensées plus ou moins désordonnées qui me déferla soudain dans la tête... J'atteignais enfin le but que je m'étais fixé; je voyais encore mon passé pendant que j'imaginais mon avenir... Le beau chaos!

Avant mon départ, en 1938, j'eus droit à un mois de vacances avec ma famille, dans notre propriété de province située dans un petit patelin voisin de Valence, qui se nommait Alixan. J'étais à peine installé parmi les miens, que le vieux curé du village vint me voir: il prenait sa retraite et désirait que j'assure le service paroissial en attendant la venue de son remplaçant.

Il m'aurait été bien difficile de refuser... Donc, pendant un mois, je m'efforçai de faire revivre un peu cette paroisse qu'un curé vieux et malade avait jusqu'à un certain point négligée. En fait, il s'agissait plutôt de donner les premiers soins car la vie spirituelle des gens de ce village en avait pris un sérieux coup, leur foi avait l'aile joliment pendante... Le beau travail, que de mettre un peu d'ordre dans tout cela! C'est pour dire qu'en un mois, je ne fis pas de miracles... De toute façon, je m'y attendais. Alixan était un coin où l'influence délétère du ministère Combes avait conservé toute sa vigueur. La question ne se posait pas, ça sautait aux yeux: les gens se fichaient éperdument de la religion. Ah! bien sûr, ils faisaient leurs Pâques: c'était, au fond, une sorte de tradition, rien de plus. Ou encore, on célébrait le mois de Marie... Et alors, c'était une véritable guerre de clans. C'était à qui aurait les fleurs les plus grosses et les plus belles, le plus beau costume ou le chapeau le plus coquet. Il est facile d'imaginer que, dans ces conditions, on fait juste ce qu'on peut — et encore. J'étais plein de bonne volonté, tout brûlant de la ferveur du jeune prêtre tout neuf... Mais, que voulez-vous, je n'étais tout de même pas le curé d'Ars!

C'est pourquoi je me bornai à exercer un apostolat discret mais efficace. Pas question d'essayer de les convertir, évidemment — de toute façon, je n'en avais ni le temps ni l'envie. Donner la foi à ceux qui ne l'ont jamais eue, passe encore; mais la redonner à ceux qui l'avaient mais l'ont perdue, c'est autre chose. A classer parmi les travaux d'Hercule! Je m'arrangeais donc pour exercer mon ministère dans les limites de la chaleur humaine et de l'amour. Je m'occupais d'organiser des sorties avec les jeunes du village, je faisais des conférences sur les missions, j'allais visiter les malades, etc. Vous voyez le genre... Heureusement, tout cela me préparait directement au travail de missionnaire que j'étais appelé à effectuer peu après.

* * *

Le jour arriva enfin, où je fis mes bagages et partis d'Alixan pour Marseille, où je devais prendre le bateau à destination de l'Amérique. En chemin, je m'arrêtai à Valence pour prendre les Pères Mascaret et Choque, deux de mes jeunes confrères en partance comme moi pour l'Arctique canadien. Après un court séjour à Marseille — histoire de visiter rapidement la ville où le fondateur des Oblats de Marie-Immaculée fut évêque — vint le moment du véritable départ. belle-mère — je devrais dire ma mère — m'accompagnait; elle ne me laissa qu'au bateau de la compagnie Dreyfuss, le *Jean L.D.,* qui allait nous faire traverser la grande flaque.

Puis, ce fut une sorte d'adieu à la France. Je ne devais, en effet, revoir ma patrie que treize ans plus tard, après la fin de la longue guerre fratricide de 1939-45.

La compagnie Dreyfuss contrôlait alors environ soixante-cinq pour cent du marché mondial du blé et possédait plusieurs bateaux de fort tonnage pour le transport du grain. Cette compagnie offrait une traversée gratuite aux missionnaires partant de France à destination de l'Arctique canadien. C'était là un avantage, bien sûr... Mais cette façon de faire la traversée comportait aussi un petit inconvénient. Oh! rien de bien sérieux! Non... C'est, tout simplement, qu'on s'embarquait à l'aventure, pour une destination qui pouvait changer en cours de route — le capitaine recevant ses directives par télégramme.

Et c'est bien ce qui nous arriva. Au départ, le bateau devait se rendre à Montréal. Mais, avant Gibraltar, le capitaine fit changer de cap... Destination Texas! Evidemment, le capitaine avait ses raisons. A ce moment, on était en pleine guerre d'Espagne et il était plus sain d'éviter les coins de la marmite où ça bouillait trop fort. Il n'était pas indispensable, je crois, d'aller nous faire torpiller au large des côtes d'Espagne — mieux valait le Texas.

Comme il se doit, nous étions partis avec nos soutanes sur le dos. Au début, ça ne dérangeait pas trop... Mais lorsqu'il fallut traverser la mer des Sargasses, ce fut une autre histoire. Nous crevions littéralement, nous macérions dans notre jus — ce n'était plus tenable. Heureusement, des membres de l'équipage, le capitaine inclus, eurent l'obligeance de nous prêter des pantalons blancs. Inutile de dire que nos soutanes prirent à toute vitesse le chemin de nos valises. Egalement, nous avions une envie folle de nous défaire, à jamais, de nos horribles chapeaux cléricaux — le fameux melon à gouttières que vous savez. Quand on navigue en pleine mer et qu'on veut se débarrasser de quelque chose, qu'est-ce qu'on fait? La réponse fut donc vite trouvée. D'un commun accord, nous avons décidé de faire un petit concours, histoire de joindre l'agréable à l'utile. Ce fut à celui qui lancerait son galurin le plus loin. Un, deux, trrrrrois!... Et voilà les trois chapeaux en l'air, rasant la mer comme de ténébreuses soucoupes volantes, pour aller s'abîmer gentiment au milieu des sargasses flottantes. Je dois dire que je ne remportai pas la médaille d'or... Mais, tout de même, c'était une bonne chose de faite — le crime parfait en quelque sorte!

Le bateau arriva dans le port de Galveston assez tard dans la soirée, de sorte qu'il fallut passer la nuit à bord, dans les odeurs de mazout qui provenaient de la rive. Lorsqu'on nous permit de débarquer, le lendemain, nous nous trouvions fort démunis avec notre vocabulaire qui se résumait à quelque chose comme : "Excuse me, I do not speak English", avec l'accent que vous pouvez imaginer. Par chance, notre futur évêque, Mgr Turquetil, avait appris notre changement d'itinéraire. Aussitôt, il était entré en contact avec des Pères français en Louisiane. C'est pourquoi, à notre grand soulagement, nous étions attendus quand nous avons débarqué. Ces braves Pères nous fournirent des costumes de clergyman, pour remplacer la si malcommode soutane qu'il avait bien fallu reprendre en quittant le bateau — costumes que nous utilisions encore vingt ans plus tard, car l'Arctique n'est pas l'endroit du monde où l'on use le plus ce genre de vêtements.

Du Texas, une auto nous conduisit à la Nouvelle-Orléans, où nous sommes restés quelques jours au presbytère de Saint-Louis-de-France. Lors de ce séjour, nous avons eu l'occasion de rencontrer une esclavagiste comme je croyais qu'il ne s'en faisait plus. C'était une dame d'origine française qui vint nous entretenir, sur un ton pédant, du beau temps où sa famille possédait encore des esclaves. Je n'oublierai jamais cette pimbêche, avec ses airs de marquise oubliée par le temps. Je la voyais très bien dans un empanachement et un froufroutement de crinolines et de vertugadins, tenant d'une main un éventail et de l'autre un face-à-main doré, les cheveux en pain de sucre et la bouche en ce que je n'ai pas besoin de nommer — par égard pour les poules. C'est pour dire à quel point le racisme sévissait, virulent comme une maladie infectieuse, sordide comme tout ce qui ressemble à la haine chronique, dans cet état du Sud.

Pendant qu'il nous tenait, un Père américain voulut s'amuser à nos dépens. Un jour où nous étions réunis — nous étions peut-être six ou sept — dans une pièce du presbytère, il s'approcha de moi en tenant un journal. Me désignant du doigt le mot "sheet" dans le texte imprimé, il me demanda comment je prononcerais ce mot. Bien sûr, le coquin s'attendait à ce que je prononce "shit" — mot que je ne connaissais d'ailleurs pas. Mais, comme j'avais surpris le petit sourire malin que le Père avait adressé à ses compagnons, je me méfiai, flairant quelque attrape-nigaud. Or, même si j'ignorais tout de l'anglais, je savais cependant que la répétition d'une voyelle indique normalement un allongement du son. Je proférai donc "Sheeeeet", au grand amusement des compagnons du Père. Tel étais pris, qui avait cru prendre.

* * *

Nous avons quitté la Nouvelle-Orléans en compagnie du Père Pierre, un prêtre français qui avait une paroisse dans cette ville. Il retournait en France pour y passer des vacances. Le voyage jusqu'à Montréal s'effectua par train, en passant par Chicago — où nous sommes restés une journée pour visiter la ville.

Lorsque nous sommes arrivés à Montréal, notre nouvel évêque, Mgr Turquetil, nous attendait à la gare en compagnie d'un ami avec ses deux fils jumeaux. Ce ne fut qu'au moment où ces jeunes gens m'adressèrent la parole, que je constatai qu'ils parlaient une langue que je ne connaissais pas. "Probablement de l'anglais", pensai-je.

— Excuse me, I do not speak English, lançai-je avec un sourire navré.

Ma phrase fut accueillie avec un gros éclat de rire...

— Mais nous parlons français, dirent-ils tout en rigolant.

Il ne me restait plus qu'à être confus de mon erreur... Mais nous n'étions pas en vacances, et nous ne sommes restés à Montréal que deux jours, le temps que le bateau de nos missions, le *M.F. Thérèse,* soit prêt à quitter le port à destination de l'Arctique. Mgr Turquetil m'envoyait à Wakeham Bay, dans le détroit d'Hudson (voir la carte), où je devais retrouver le Père Fafard, qui avait fondé la mission en 1936.

La traversée dura huit jours. C'est à ce moment que je pris contact pour la première fois avec des Esquimaux. Ils étaient trois qui voyageaient avec nous: Jean Ayaruar, accompagné de ses fils Simon et Alphonse. Ils retournaient à Chesterfield Inlet, après avoir assisté à un congrès eucharistique à Washington. Bien sûr, pour la circonstance ils avaient revêtu des habits tout à fait semblables aux nôtres; ils ne ressemblaient pas tout à fait à l'Esquimau typique que je m'étais toujours imaginé, que j'avais

Le *M.F. Thérèse* à l'ancre (Wakeham Bay).

toujours vu à travers mes lectures... Je ne perdais rien pour attendre: des "Esquimaux typiques",* j'allais bientôt avoir l'occasion d'en rencontrer autant que j'en voudrais. De toute façon, tout cela était prodigieusement nouveau; j'éprouvais une sensation de dépaysement que je n'aurais jamais crue possible. Je les écoutais parler entre eux, et j'avais l'impression que jamais je n'arriverais à apprendre cette langue qui paraissait tellement différente de la mienne. Bien sûr, les paroles de mon père me remontaient à l'esprit: "Impossible n'est pas français! — Si on veut, on peut..." et

---

* Nous emploierons généralement le terme Inuit (sing. Inuk) qui signifie "homme" pour désigner les habitants du Grand Nord. Ils préfèrent ce nom à celui d'"Esquimaux" qui leur a été donné par les Amérindiens et qui signifie "mangeurs de viande crue".

tous les clichés du genre, qui ne correspondent pas à grand-chose tant qu'on n'est pas soi-même en plein coeur de l'action. Je commençais déjà à comprendre qu'il me faudrait vouloir beaucoup pour réussir un peu... Bah! on verrait bien...

Malgré l'exiguïté des quartiers réservés aux membres de l'équipage et aux quelques passagers, le voyage se fit avec beaucoup d'agrément. Après un court arrêt à l'île Résolution à cause des glaces qui nous barraient la route, nous sommes repartis. Et le 19 juillet 1938, nous jetions l'ancre devant Wakeham Bay.

Cette fois, ça y était. Mes bagages étaient tout prêts; j'éprouvais une hâte fébrile de me rendre à terre.

* * *

Les deux Pères de la mission, les Pères Fafard et Cartier, vinrent au bateau pour nous rencontrer et, par la même occasion, pour me conduire à terre avec mes bagages dans leur canot à moteur. Le site était grandiose, à perte de vue: immensité blanche où je savais bien que j'allais passer une bonne partie de ma vie. A mesure que le canot s'approchait de la rive, je pouvais voir dans son ensemble ce Wakeham Bay qui se révélait comme le plus authentique coin perdu dont on puisse rêver. L'installation s'y résumait à trois maisons de la Compagnie de la Baie d'Hudson (le magasin et deux entrepôts) et à cinq bâtiments cédés à la mission par le gouvernement canadien. La mission en occupait une; les autres étaient vides et abandon-

"J'arrivais donc, le visage orné d'une petite barbe de huit jours."

nées. Voilà tout ce qu'il y avait à voir, mis à part un très grand poteau d'antenne laissé par le gouvernement.

De même que le chapeau clérical avait disparu à la mer avant que j'arrive en Amérique, mon rasoir avait fait

Wakeham Bay.

un petit plongeon peu après mon départ de Montréal pour Wakeham Bay. J'arrivais donc, le visage orné d'une petite barbe de huit jours qui allait me valoir le surnom d'*Umikadlak:* la petite barbe. Aujourd'hui encore, bien que je sois devenu parfaitement glabre, je suis toujours *Umikadlak* pour les Inuit.

On me conduisit directement à la mission, sous les regards curieux des Inuit venus assister à l'arrivée du bateau. A cette époque, dans l'Arctique, on passait parfois jusqu'à un an sans apercevoir de nouveaux visages. L'arrivée d'un bateau constituait donc tout un événement dans les villages. De plus, le bateau signifiait la livraison des provisions et du courrier accumulé pendant un an.

Une douzaine d'Inuit étaient rassemblés dans la salle commune de la mission, pour voir la binette du nouveau Père qui allait vivre parmi eux. Comme c'est la coutume, je serrai la main de ceux qui étaient là — ce qui fut fait avec beaucoup de dignité et de réserve, les Inuit n'étant pas, par nature, démonstratifs. A l'égard d'un étranger, ils font preuve d'un comportement plutôt froid: ni hostile ni cordial — distant seulement. Et je serrais les mains à la ronde, ne sachant pas trop à quoi m'en tenir, incapable de déchiffrer quoi que ce soit sur leurs impassibles visages aux traits asiatiques. Soudain, je sentis quelque chose qui tombait sur mes souliers. Je baissai les yeux... et aperçus un petit jet de liquide provenant d'un jeune enfant sans doute terrifié par la vue de ce nouveau visage. Ce fut donc le jour même de mon arrivée à Wakeham Bay que je pus constater que les Inuit avaient la sagesse de laisser une fente dans les pantalons des tout-petits, afin que l'humidité n'affecte pas le vêtement mais bien le sol. Cela dénotait un esprit des plus pratiques.

Nous verrons par la suite à quel point les Inuit ont su s'adapter à l'Arctique, avec quelle ingéniosité ils ont tiré parti des maigres ressources que leur laisse l'impitoyable climat de ces régions. En très peu de temps, j'allais m'attacher durablement à ces gens qu'on a souvent appelés "primitifs", mais chez qui je ne tarderais pas à découvrir un naturel, une intelligence, une patience et un calme exemplaires devant les difficultés de la vie. En fait, nous, les soi-disant "civilisés", avons bien des choses à apprendre des Inuit. Si, peut-être, je leur ai enseigné certaines choses qu'ils ignoraient, en revanche ils m'ont appris beaucoup. Je me suis enrichi, à leur contact, d'une nouvelle perception de la vie et des choses, que jamais je n'aurais crue possible auparavant.

Voilà: je tenais à préciser ainsi mes positions, avant d'entreprendre la narration des années que j'ai passées parmi eux, à essayer de les aider et de leur transmettre le peu que je pouvais leur donner. Avant d'aller plus loin, je tiens également à m'élever contre la réputation de sauvages que leur a faite un funeste Canadien qui se croit écrivain et qui a présenté l'Inuk, aux lecteurs français du Canada et d'ailleurs, comme un sauvage sadique, héros de scènes d'érotisme de bas étage. J'ai été d'autant plus écoeuré que cet homme a eu l'audace de me citer dans son livre diffamatoire — sans m'en demander la permission... que je lui aurais, du reste, sûrement refusée. Je vais donc, dans les pages qui suivent, m'efforcer de remettre les choses à leur place et de montrer les Inuit sous leur vrai jour. On comprendra alors qu'ils ne méritent pas toute l'ordure dont le plumitif en question s'est plu à les couvrir.

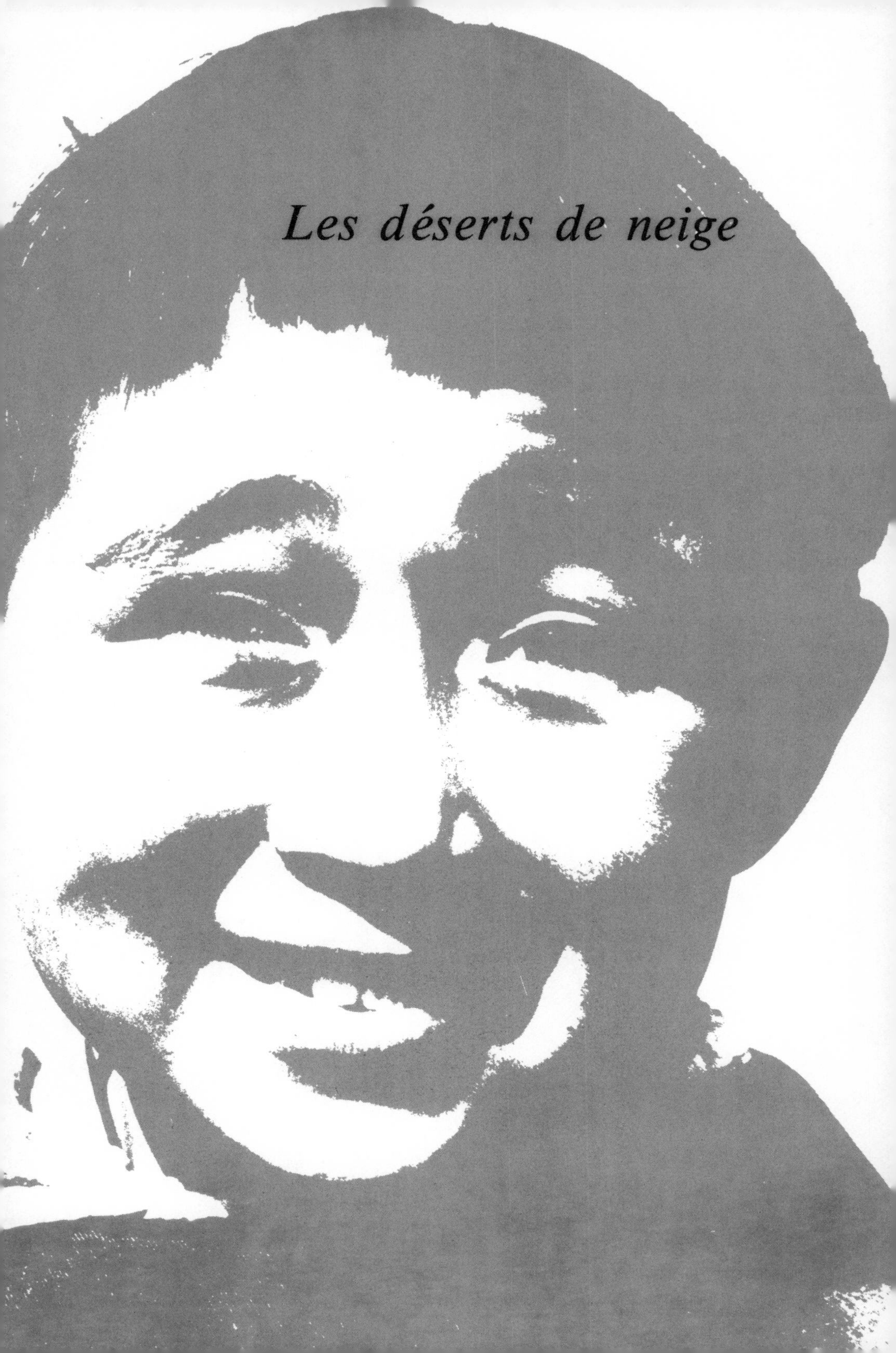
Les déserts de neige

Dès que je fus installé à la mission, je dus m'atteler à la tâche d'apprendre la langue des Inuit. Mgr Turquetil nous l'avait bien dit: "Avant toute chose, vous devrez apprendre leur langue." C'était là une directive on ne peut plus logique. Je me suis donc jeté à corps perdu dans l'étude de cette langue à première vue si dissemblable de tout ce que je connaissais alors.

Mgr Turquetil avait fait traduire en français la grammaire esquimaude des Moraviens. C'était devenu mon instrument de travail le plus important. Je passais mes matinées à potasser la grammaire, puis je partais faire un tour dans les camps, pour essayer de mettre en pratique ce que je venais d'étudier. Ce n'était certes pas facile; mais, peu à peu, ça venait. De plus, l'apprentissage de la langue m'était facilité par la bienveillante coopération du gérant de la Compagnie de la Baie d'Hudson, qui parlait l'esquimau et l'anglais. Nous partions à la chasse ensemble et il me donnait des notions d'esquimau — et d'anglais, du même coup.

Chaque fois, je rentrais avec un peu plus de connaissance de la langue des Inuit, et parfois du gibier. Nous avons même été jusqu'à passer prendre des perdrix congelées à l'entrepôt de la Compagnie, lorsque nous rentrions bredouilles, pour faire croire au Père Fafard que nous avions fait bonne chasse. Le plus difficile, en réalité, n'était pas d'apprendre le fonctionnement morphologique de la langue elle-même, mais de s'habituer à penser comme les Inuit. C'est là une condition indispensable pour qui veut apprendre à fond leur langue, au point de la parler couramment.

Contrairement à ce qu'on aurait pu croire en regardant les notes de latin que j'avais obtenues au cours de mes études, il semble que j'étais doué pour les langues. C'est du moins ce que beaucoup ont prétendu, en constatant la relative facilité avec laquelle je parvins à absorber, puis à assimiler à la fois la langue esquimaude et la langue anglaise. Le fait est que je parle, aujourd'hui, ces deux langues avec autant d'aisance que le français. Personnellement, je ne crois pas être parvenu à ce résultat par suite d'une générosité de la nature. Tout cela n'est que le fruit d'un travail assidu, de mon entêtement à étudier et à mémoriser ces deux langues qui, par la suite, devaient constituer mes deux seuls moyens de communication pendant plusieurs années.

* * *

Le bâtiment de la mission était conçu de telle façon que la salle commune où nous travaillions donnait directement sur l'entrée. Ainsi, les Inuit entraient chez nous com-

Ci-dessous (1), le bâtiment que nous avons rénové pour notre mission (2).

1

2

Notre première cloche. Wakeham Bay, 1939.

me chez eux, et le contact s'opérait immédiatement. Car il faut savoir que l'iglou ne comporte qu'une seule pièce, où tout se passe au su et vu de tout le monde. D'ailleurs je n'allais pas tarder à apprendre que les Inuit n'aiment pas qu'on frappe avant d'entrer. Ils peuvent même s'en offenser, puisque, à leurs yeux, cette attitude signifie qu'on les soupçonne de faire quelque chose de mal et qu'on hésite à entrer de peur de les surprendre. Donc, pas de sonnerie à la mission; pas de parloir non plus: rien qu'une salle commune, comme dans l'iglou. Pour nous garder, tout de même, un semblant de vie privée, nous disposions, en plus de la salle commune, d'une cuisine et de petites chambres à coucher.

Mais, pour comprendre les Inuit, il faut les voir vivre chez eux et, si possible, vivre avec eux. Je commençai donc, avec la permission de mon supérieur, à voyager avec les Inuit et à faire des séjours dans leurs camps. En général, leurs camps comportaient peu de familles; ils étaient plutôt éparpillés le long de la côte, pour faciliter la chasse et la pêche. En été, il comprenait quelques tentes et, en hiver, des iglous. Rien de plus simple. D'un camp à l'autre, le spectacle était toujours le même. Entre les tentes, on pouvait voir des peaux qui oscillaient sur leur cadre de bois, hors de portée des chiens, qui n'auraient pas manqué de les mâchonner. De même, ils mettaient de la viande de gibier et de la chair de poisson à sécher à quelque six ou sept pieds de terre: tout cela était suspendu à des supports de bois — car, encore une fois, les chiens rôdaient, toujours en appétit et prêts à croquer le moindre bout de viande laissé à leur portée. D'ailleurs, ces précieux chiens étaient pour ainsi dire omniprésents. Ils dormaient — en boule en hiver, leur queue touffue ramenée sur leur museau pour le protéger du

"La viande de gibier et la chair de poisson séchaient à quelque six ou sept pieds de terre."

froid piquant, ou mollement allongés en été, profitant de la clémence relative du temps pour se faire chauffer au soleil —, ou jouaient, se poursuivant entre les tentes, se battaient en grondant sourdement pour se disputer un morceau de viande... Plus loin, des kayaks étaient mis à sécher, à l'envers sur des supports de bois ou de neige. En somme, cela faisait penser, jusqu'à un certain point, à la vie quotidienne de tous les petits villages. Les enfants s'amusaient à dévaler les dunes de neige sur de petites luges ou attelaient de jeunes chiens à de minuscules traîneaux où ils s'installaient fièrement, imitant les gestes de leurs chasseurs de pères, comme tous les enfants du monde... Et comme toutes les femmes du monde, les Inuit circulaient dans le camp, allant d'un iglou ou d'une tente à l'autre pour faire un brin

Ces précieux chiens, omniprésents.

de conversation ou porter quelque chose à leur voisine... Sortant d'une tente en portant à la main un vieux chaudron tout bosselé, un enfant allait chercher de l'eau (en été) ou de la glace (en hiver)...

Mes visites aux camps des Inuit me permettaient de me familiariser peu à peu avec leur mode de vie, avec leur mentalité et d'apprendre leur langue. Mais ce n'était pas suffisant. Je ne voyais les choses, constamment, que de l'extérieur; je n'avais pas encore eu l'occasion d'opérer ce contact profond à partir duquel je pourrais m'intégrer, autant qu'il est possible à un Blanc, à la vie des Inuit et les comprendre de l'intérieur, en apprenant à vibrer sur la même longueur d'ondes qu'eux. Cette occasion allait m'être fournie, peu après, lors d'un long voyage que je fis avec Lucas-

se, qui allait installer ses trappes à renard. Ce fut une véritable initiation, physique et mentale, à la vie de l'Arctique. Pour la première fois, je pus faire l'expérience directe de ce que c'était que de voyager, par quelque quarante-cinq degrés Celsius sous zéro, dans ces déserts de neige et de froid. Enfin, je prenais contact, autrement qu'à travers mes lectures, avec ce terrible pays sans arbres, sans routes ni chemins, ce coin perdu de la planète où régnaient continuellement le froid et les poudreries.

Quoi qu'il arrive, Lucasse n'était jamais de mauvaise humeur. Il savait, bien sûr, que j'en étais à ma première expérience, de sorte qu'il se montrait plein d'attention à mon égard. Le courage et l'égalité d'humeur de cet homme étaient exemplaires: c'était une très belle leçon, un modèle que devait chercher à imiter le jeune missionnaire que j'étais.

Durant tout ce voyage — et aussi plus tard —, Lucasse s'évertua à m'apprendre quelques mots de sa langue. Je dois dire que les leçons de cet homme me furent hautement profitables, puisqu'elles s'appuyaient constamment sur des données concrètes, sur des exemples immédiatement compréhensibles. J'appris ainsi les rudiments de la langue bien plus vite que je n'aurais pu le faire avec l'aide de toutes les grammaires du monde. Par exemple, je me souviendrai toujours du tout premier mot qu'il essaya de m'enseigner... Nous nous étions arrêtés pour laisser souffler les chiens et Lucasse s'affairait à réparer l'enduit d'un patin du traîneau. Il était accroupi et tout à son travail, quand soudain il leva les yeux vers moi et dit:

— *Adzigi-ik...*

Je voyais bien qu'il cherchait à me dire quelque chose, mais je n'avais pas la moindre idée de ce que ce mot signifiait. Comme je répétais ce qu'il venait de dire, il me laissa faire jusqu'à ce qu'il constate que j'avais la bonne prononciation, m'encourageant par signes. Lorsque je sus dire correctement le mot, il se leva et alla prendre dans le sac deux boîtes d'allumettes semblables. Tenant une boîte dans chaque main, me regardant d'un air, ma foi, tout à fait professoral, il répéta:

— *Adzigi-ik*...

Tout en parlant, il faisait mine de comparer les deux boîtes, les regardant alternativement, puis me jetant un coup d'oeil pour vérifier si je suivais la démonstration. A vrai dire, il était difficile de ne pas comprendre. La leçon était si explicite que je ne saurais oublier que *adzigi-ik* signifie: semblable.

Cette première expérience d'un voyage dans l'Arctique fut physiquement difficile à supporter. Vous savez, un type qui arrive d'Europe ne peut pas s'imaginer qu'il puisse faire aussi froid. J'avais lu tout cela, bien sûr; mais tant qu'on ne l'a pas vécu... C'est pourquoi j'étais parti, habillé aussi chaudement que possible — selon mes critères d'Européen. A mon avis, les vêtements que je portais étaient à toute épreuve... Eh bien, non!... C'étaient de très bons vêtements, mais ils n'avaient pas été conçus pour protéger le corps contre des températures aussi basses. Je souffris donc terriblement du froid sous mes tricots superposés. Ce fut d'ailleurs la dernière fois de ma vie que j'utilisai des chaussettes de laine pour voyager dans le grand froid. Lors des voyages suivants, je me fourrai directement les pieds dans des espèces de chaussettes en peau de caribou, cousues avec le poil en dedans — ça, au moins, c'était efficace!

En soi, le voyage était monotone: du blanc partout, rien que du blanc. Une surface où le regard se perd à l'infini. Parfois, quelques petites collines indiquaient le lit d'une rivière. Alors, c'étaient les côtes qu'il fallait monter en aidant les chiens, en tirant avec eux la lourde charge du traîneau. Dans les descentes, il fallait déployer une adresse et une agilité de tous les instants pour éviter que les patins du traîneau ne heurtent quelque roche.

Les patins sont en effet la partie la plus fragile du traîneau. Il faut absolument qu'ils soient en bon état et que leur enduit soit parfaitement lisse, sinon ils collent et les chiens se fatiguent vite. Or, c'est précisément cet enduit qui se brisait dès qu'on heurtait un objet dur. Pour bien glisser, les patins sont revêtus de terre gelée rabotée en cylindre. Puis, ce cylindre est enduit d'une couche de glace: on prend de l'eau froide dans sa bouche, puis on la crache sur un morceau de peau d'ours ou de caribou; alors, on l'étend rapidement sur le cylindre de terre. Evidemment, l'eau gèle sur-le-champ et forme une mince pellicule de glace. Si, en voyage, un morceau de terre gelée se casse en frappant une roche ou autre chose, on le remplace en urinant dans la neige et en reformant le cylindre avec ce mélange d'urine et de neige. Une autre solution consiste à mâcher soigneusement un morceau de viande gelée, de façon à en faire une sorte de pâte avec laquelle il est possible de reformer le cylindre autour du patin. Dans certain cas, on utilise de la galette (bannock) mâchée, qui donne aussi de très bons résultats.

Dans l'Arctique, on sait quand on part, mais on ne sait jamais quand on reviendra. C'est pourquoi on doit nécessairement emporter tout ce qu'il faut pour survivre un certain temps. Au départ, nous avions mis dans nos bagages plusieurs galettes de bannock *(panertitak)* faites de farine, de graisse, de sel et de poudre à pâte — assez semblables, en principe, à la banique des Montagnais de la région de

Sept-Iles. Nous avions pris, aussi, des haricots congelés: avant de partir, on fait cuire les haricots, qu'on met ensuite à congeler sur une plaque de tôle; quand tout est bien pris (ce qui n'est pas long!), il ne reste plus qu'à casser ces plaques en morceaux qu'on met dans des sacs. Bien sûr, nous avions aussi une réserve de l'indispensable poisson séché qui constitue un des mets de base de la cuisine esquimaude. Ainsi chargés, nous devions pouvoir tenir plusieurs jours... Mais l'homme propose, la neige dispose: notre voyage se prolongea plus que nous ne l'aurions cru... et il fallut nous débrouiller avec les moyens du bord, comme on le verra plus loin.

Quand nous voyagions à la fin du printemps ou en été, nous emportions des tentes, que nous n'avions qu'à monter à l'étape du soir. Mais en automne et en hiver, dans toute cette neige, à la merci d'un froid à vous couper en deux, un abri de toile n'aurait pas été suffisant. Donc, lorsque le jour commençait à décliner, nous nous arrêtions et nous construisions un iglou. Rien de plus simple et de plus efficace contre le froid.

C'est ce que fit Lucasse. Lorsqu'il s'aperçut que le soir n'allait pas tarder à tomber, il chercha un emplacement convenable, c'est-à-dire un terrain suffisamment plat pour permettre l'établissement de sa construction de neige — ce qui n'était pas difficile sur cette plaine, unie comme la main, où nous étions parvenus... Bientôt, les chiens étaient dételés et se disputaient bruyamment le morceau de caribou faisandé qu'il leur avait jeté. Sans perdre de temps, il commença à creuser une tranchée, utilisant son couteau à neige à l'aide duquel il découpait des blocs plus ou moins réguliers, qu'il repartissait à mesure autour de l'excavation (voir illustration). Une fois le cercle de la base

L'iglou

Au milieu une tranchée d'où l'on coupe les blocs de neige; donc l'iglou aura la hauteur des blocs bâtis plus la hauteur de la tranchée (cela à l'intérieur.) Sur la rangée inférieure des blocs, (SAVIOUYAKTUAT) on pose le reste en spirale en inclinant les blocs de plus en plus.

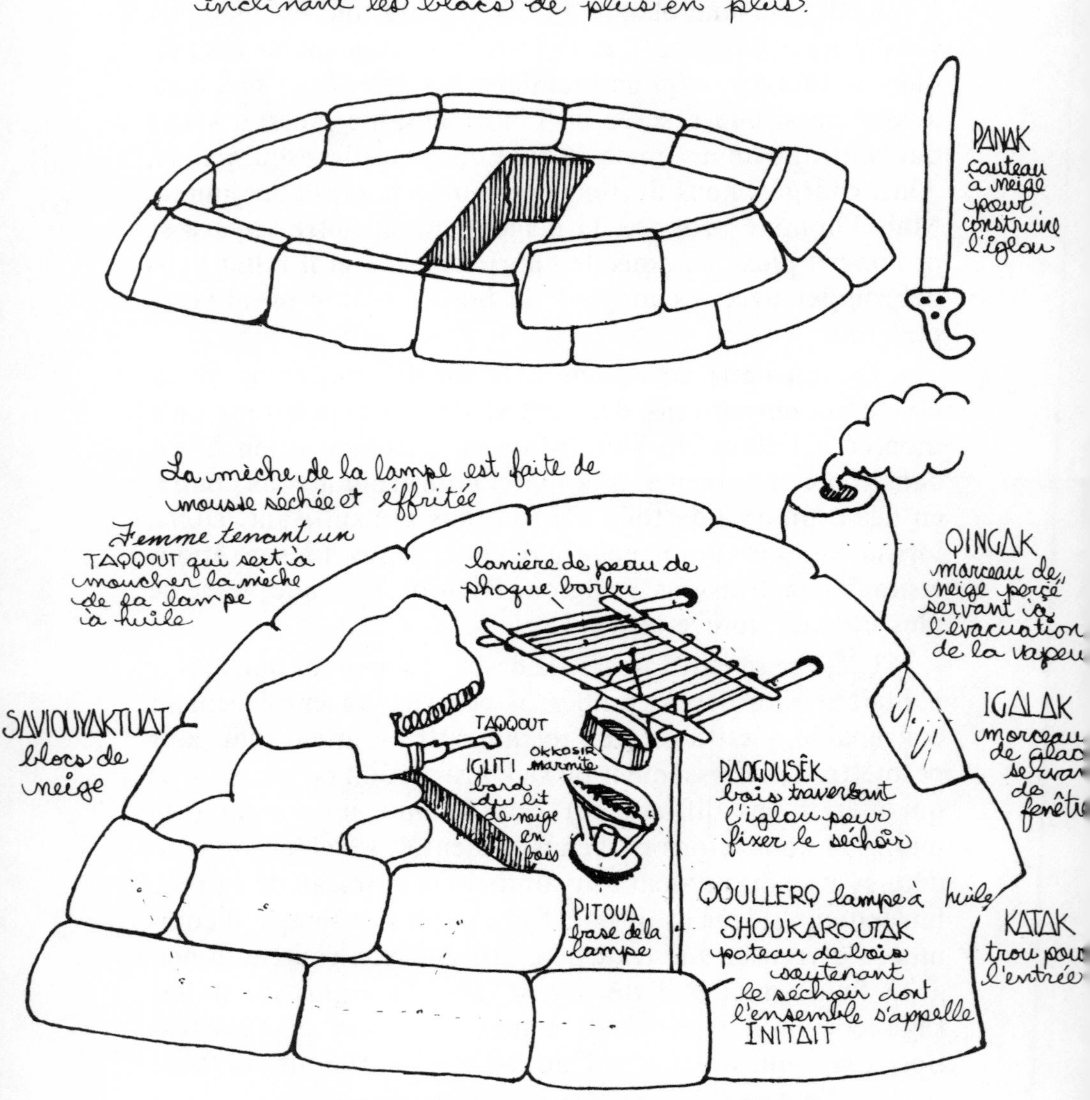

COUPE DE L'IGLOU AVEC VUE INTÉRIEURE

complété, il disposait les nouveaux blocs de neige durcie par-dessus, de façon à former une spirale, rétrécissant de plus en plus la circonférence jusqu'à ce que les blocs se rejoignent en haut. Il ne lui restait plus alors qu'à poser la clef de voûte qui couronne le tout. A voir travailler Lucasse, j'avais l'impression que la construction d'un iglou était un jeu d'enfant. Mais lorsque, plus tard, je me mis en frais d'en construire un moi-même, je m'aperçus qu'il n'en était rien et que seule l'expérience permettait de réussir un iglou un peu regardable.

Enfin, pour l'instant, c'était toujours ça de pris: nous étions assurés d'avoir un toit pour la nuit. A l'intérieur, Lu-

"J'avais l'impression que la construction d'un iglou était un jeu d'enfant."

casse avait élevé une plateforme de neige, qui nous servirait de lit à la façon esquimaude. Dans un iglou ordinaire, un treillis de corde est tendu sur des bouts de bois enfoncés dans la neige et sert de séchoir — les vêtements pendillant au-dessus de la lampe à l'huile de phoque. La fenêtre n'est rien d'autre qu'un morceau de glace, dont la translucidité laisse filtrer suffisamment de lumière pour qu'on puisse y voir. Le soir, la lampe — creusée dans un morceau oblong de stéatite, remplie d'huile de phoque ou de baleine et munie d'une mèche horizontale — éclaire l'intérieur de l'iglou, en plus de dispenser une chaleur étonnante, compte tenu de ses dimensions réduites. C'est sur cette lampe, également, que l'Inuk met à chauffer l'eau pour son thé, le plus souvent dans une antique casserole ou dans une bouilloire cabossée et noircie.

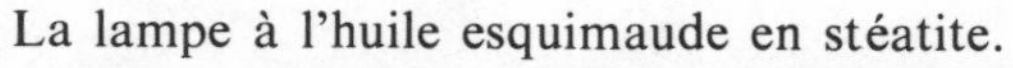
La lampe à l'huile esquimaude en stéatite.

Ma première nuit dans un iglou fut donc relativement confortable, malgré l'insuffisance de mes vêtements. Le matin, après un petit déjeuner sans fioriture — poisson séché et bannock — il fallut se remettre en route. Il avait venté toute la nuit. La poudrerie avait à moitié enseveli nos chiens, encore couchés en boule autour de l'iglou. Par moments, le vent reprenait et soulevait la neige, on n'y voyait plus rien, le ciel avait l'air d'être littéralement soudé au sol. Et nous avancions là-dedans, profitant des accalmies pour repérer notre position. A mes yeux, le paysage était toujours le même; une dune de neige ressemblait à une autre dune. J'aurais été bien en peine de dire dans quelle direction nous marchions. Mais Lucasse, les yeux plissés, réduits à une étroite fente, disait:

— *Avunga...* Là-bas

Il savait exactement où il allait, c'était évident. Nous marchions sur la neige durcie qui craquait sous nos pieds. Les chiens soufflaient fort en tirant leur charge, la gueule fumante, fonçant dans la poudrerie qui, par instants, les dérobait complètement à notre vue. Mais Lucasse paraissait aussi à l'aise que si nous avions suivi une route bien balisée. C'était sa piste de chasse, il ne pouvait pas se tromper. De temps en temps, nous nous arrêtions; il prenait dans le traîneau un des pièges à renard que nous avions apportés et il l'installait soigneusement dans la neige. Puis nous repartions dans le blanc sans fin, moi tout gelé derrière Lucasse, mes pieds mordus par le froid me faisant horriblement souffrir. Puis le soir arrivait; et, de nouveau, c'était la construction de l'iglou, le très relatif confort de la nuit dans cet abri de neige chauffé par une lampe à pression... Puis encore le matin, les chiens enfouis dans la neige qui se dressaient soudain à l'appel de Lucasse, faisant craquer la neige autour d'eux, émergeant d'un peu partout et se secouant tout le corps pour chasser la neige de leur fourrure... Et ça recommençait...

Puis, un soir, quand nous avons voulu allumer la lampe à pression dans l'iglou, nous nous sommes aperçus que nous n'avions plus d'huile. Lucasse murmura, toujours souriant, quelque chose qui paraissait vouloir dire, à peu près: tant pis, on n'a qu'à s'en passer. Je ne comprenais pas qu'il puisse prendre à la légère ce que, personnellement, je considérais comme un drame. J'étais gelé de part en part; j'étais persuadé que si nous passions la nuit dans ces conditions, on me retrouverait le lendemain — ou bien plus tard — à l'état de viande surgelée. Je passai donc la nuit à grelotter et à me battre les flancs, tandis que mon Lucasse ronflait de son côté, avec toutes les apparences d'être couché dans une chambre confortable où il ne ferait pas quelque quarante-cinq degrés sous zéro...

Mais le matin finit toujours par arriver. Notre voyage touchait à sa fin, Lucasse ayant installé tous ses pièges. Je n'étais pas fâché d'entrevoir le moment où je pourrais me chauffer la carcasse devant le poêle de la mission. Pourtant, un léger contretemps allait encore nous retarder: comme dans la chanson, "les vivres vinrent à manquer". Or, nous n'avions pas de petit mousse à dévorer, de sorte qu'il fallut passer toute une journée à pêcher sous la glace... C'est-à-dire que je regardais Lucasse pêcher à la façon des Inuit. Après avoir pratiqué un trou dans la glace, il déroula une ligne en nerf de caribou tressé, au bout de laquelle était attaché un petit poisson en ivoire de morse ou en bois de caribou. Ayant laissé couler le poisson sculpté sous la surface, Lucasse le suivit des yeux, puis l'immobilisa. La subtilité de la pêche esquimaude consiste à attendre qu'un poisson essaie d'attraper l'appât, puis à remonter graduellement celui-ci, doucement, presque à la surface, jusqu'au moment où le pêcheur peut le transpercer à l'aide de son dard à poisson, le *kakivak* (voir illustration).

Plus tard, ma première expérience ayant porté fruit, je ne voyageai plus avec des vêtements européens. Habillé à la façon des Inuit le corps bien emmitouflé dans un anorak en peau de caribou, les pieds enfoncés dans des bottes également en peau de caribou, mon capuchon rabattu sur ma tête, j'étais désormais capable d'affronter les rigueurs

"Habillé à la façon des Inuit (..
j'étais désormais capable
d'affronter les rigueurs du
climat."

La Pêche

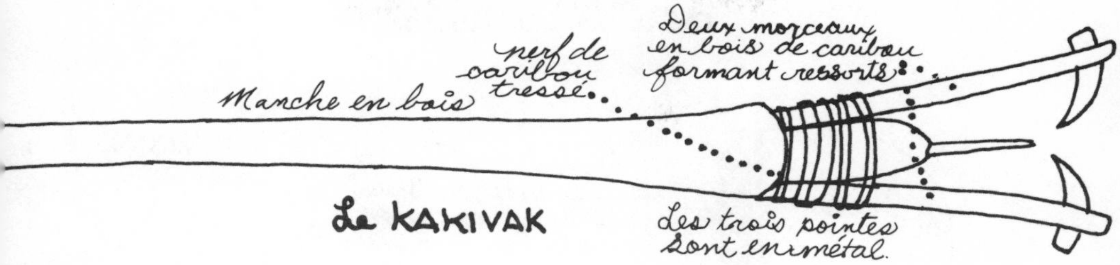

Deux morceaux en bois de caribou formant ressorts

nerf de caribou tressé

Manche en bois

Le KAKIVAK

Les trois pointes sont en métal.

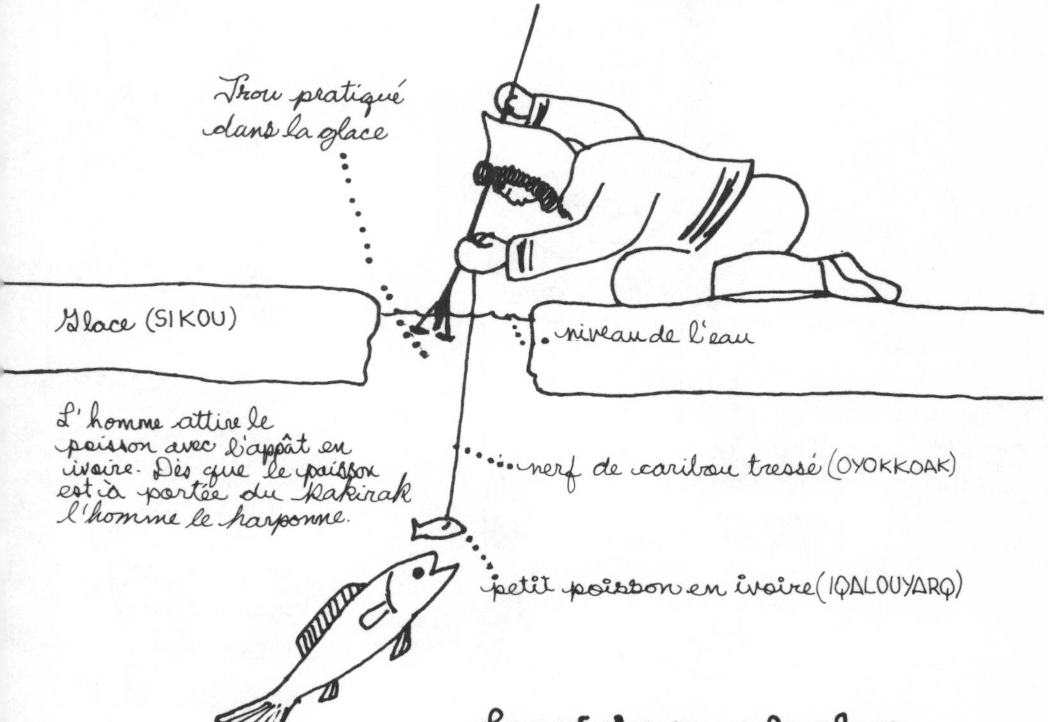

Trou pratiqué dans la glace

Glace (SIKOU)

niveau de l'eau

L'homme attire le poisson avec l'appât en ivoire. Dès que le poisson est à portée du kakirak l'homme le harponne.

nerf de caribou tressé (OYOKKOAK)

petit poisson en ivoire (IQALOUYARQ)

La pêche sous la glace

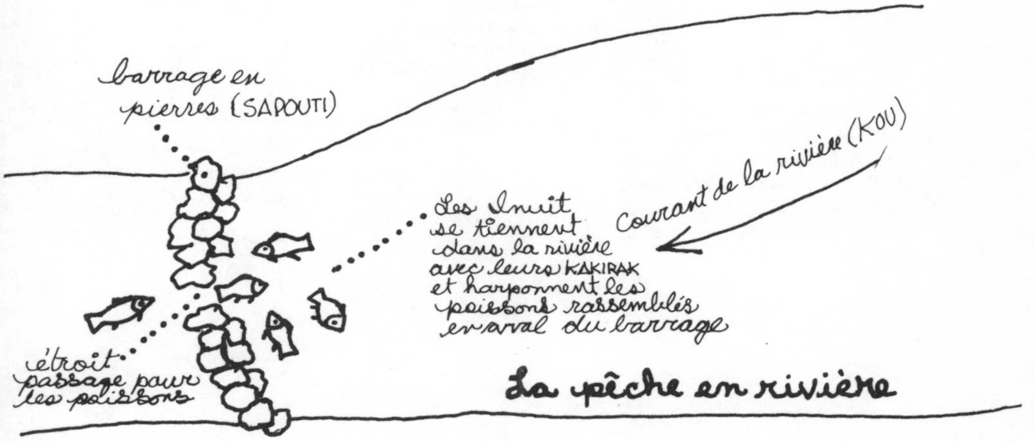

barrage en pierres (SAPOUTI)

Courant de la rivière (KOU)

Les Inuit se tiennent dans la rivière avec leurs KAKIRAK et harponnent les poissons rassemblés en aval du barrage

étroit passage pour les poissons

La pêche en rivière

Les Vêtements

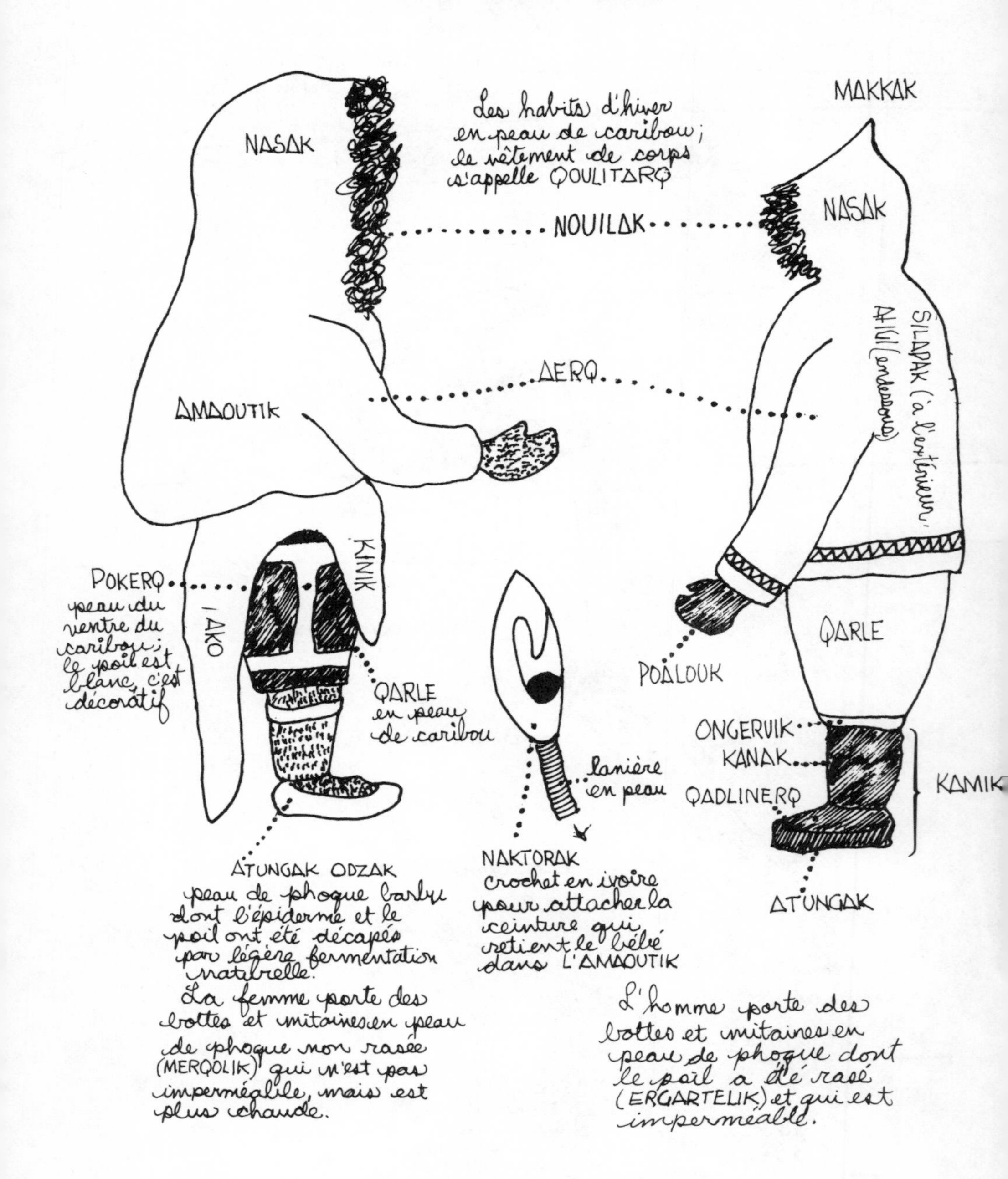

du climat. De plus, après quelques expériences plus ou moins décevantes avec les lampes en stéatite (qui, avec leur huile de phoque ou de baleine, leur mèche faite de mousse séchée et émiettée, demandaient une surveillance assez constante, sans quoi elles brûlaient mal et dégageaient plus de fumée que de chaleur), j'emportai dans mes voyages un réchaud à pression de type Primus ou Coleman.

J'ai beaucoup voyagé avec Lucasse Udlatuaruserq, et il m'a beaucoup appris. C'était un bon chasseur, un homme intelligent qui savait pourvoir aux besoins de sa famille avec laquelle j'eus l'occasion de vivre quelque temps, dans des circonstances assez difficiles. J'en parlerai plus loin.

Ces jeunes filles mâchent des peaux afin de les assouplir pour faire des bottes (Wakeham Bay).

Le froid et la famine

La faim et le froid... Cela fait, jusqu'à un certain point partie intégrante de la vie dans ces régions. Certes, je n'étais pas au bout de mes peines. Le jeune missionnaire que j'étais n'avait encore rien vu, rien connu de cette lutte quotidienne pour l'existence, où l'on se couche avec l'estomac creux en espérant que le lendemain apportera enfin du gibier ou du poisson. J'ai moi-même vécu assez souvent cette situation. Pour les Inuit, la survie est une question de tous les jours, un état de chose tout à fait naturel. Chez eux, il n'y a ni abondance, ni famine.

Bien sûr, il y avait les magasins, les établissements des commerçants qui offraient de tout à l'Inuk qui pouvait payer. Mais, justement, c'était là le problème: il fallait être capable de payer... Or, pendant les premières années où j'ai vécu dans l'Arctique, j'ai calculé que le revenu moyen d'une famille esquimaude s'élevait à environ trente-cinq dollars par an. Leur plus grande source de revenus était la vente des peaux de renards. Mais les renards n'étaient pas abondants toutes les années. Personne n'y pouvait rien; c'était un cycle naturel qui s'étendait sur quelques années. C'est-à-dire qu'on pouvait compter une bonne année suivie de plusieurs autres où l'on n'attrapait pas grand-chose. Les peaux de phoques constituaient aussi une certaine source de revenu. Mais il fallait en garder pour la confection des bottes, des harnais des chiens, des mitaines et d'autres pièces d'habillement. Le surplus pouvait être écoulé aux marchands; mais, à cette époque, la peau de phoque ne valait pas bien cher.

Un grand nombre de familles ne subsistaient donc qu'avec l'aide du gouvernement. Il y eut un temps où c'étaient les marchands, les commerçants de l'endroit qui avaient la charge de distribuer les prestations du Bien-être

Wakeham Bay.

social aux familles qui n'arrivaient pas à s'en tirer par leurs propres moyens. Evidemment, ils étaient seuls juges de la situation; c'était à eux de déterminer qui avait droit et qui n'avait pas droit à l'aide gouvernementale. Tout dépendait donc de la conscience et du jugement de chaque gérant de magasin — ce qui donnait parfois lieu, comme on pouvait s'y attendre, à des injustices criantes. Plus tard, on confia cette responsabilité à la Gendarmerie Royale, puis à des agents du gouvernement fédéral. Maintenant, le sort des Inuit du Nouveau-Québec relève de la juridiction du gouvernement du Québec.

Les Inuit n'ont jamais été renommés pour leur sens de l'économie. Dès qu'ils avaient de l'argent, ils la dépensaient d'un seul coup. Aujourd'hui, cette mentalité n'a pas changé, même si leur mode de vie s'est transformé. En effet, à l'époque, l'Inuk tirait sa subsistance des ressources que lui offrait la nature; tout l'argent qu'il pouvait gagner en surplus, il le considérait comme un luxe. De nos jours, ils doivent employer une part de l'argent pour assurer leur subsistance, mais ils dépensent tout le reste au plus vite. Demain sera un autre jour!

Comme tout le monde, les Inuit étaient fortement attirés par tous ces biens, l'utile et le superflu, que leur offraient les établissements des commerçants. A l'époque, ils achetaient surtout des munitions pour la chasse, du thé et du tabac. Ils aimaient aussi se procurer de la farine, de la poudre à pâte et de la graisse pour confectionner leurs galettes de bannock. Avec les années, ils ont eu accès à de plus fortes sommes d'argent et ils ont dépensé davantage. J'ai déjà vu un Inuk dépenser quatre cent cinquante dollars en vingt minutes. Il achetait des articles, puis revenait au comptoir et demandait s'il lui restait de l'argent. Le marchand disait oui; il repartait fourrager dans les tablettes, achetait autre chose, puis revenait poser la même question — ainsi de suite, jusqu'à épuisement de son argent. Parmi les motifs qui le poussaient à agir ainsi, il y avait, sans aucun doute, la peur de voir le traiteur s'approprier une partie de son argent, s'il en laissait — car il ne savait pas très bien compter.

* * *

Donc, les Inuit survivaient. Mais il y eut plusieurs mauvaises périodes où, dans bien des villages, plusieurs souffrirent de malnutrition — certains même ne survécurent pas. Comme dans tout groupe social, l'abondance et la facilité n'étaient pas toujours bien réparties. Pendant que certaines familles crevaient littéralement de faim, d'autres mangeaient à satiété et, bien souvent, ignoraient la famine qui sévissait dans des camps éloignés de plusieurs milles. Mais, en général, quand les Inuit voyaient qu'une famille n'avait pas de quoi manger, ils s'arrangeaient pour qu'on n'y meure pas de faim. C'était une entraide indispensable et toute naturelle entre membres d'un même village. En effet, nul ne savait s'il ne serait pas un jour dans la même situation que ces infortunés qu'il fallait secourir, en attendant que la chasse rapporte de la viande à se mettre sous la dent. Car toutes ces choses, toute cette abondance, les quartiers de viande de phoque ou de caribou et les filets de poisson qui sèchent sur leurs supports: tout cela ne tient à rien dans ces déserts de glace. La malchance à la chasse,

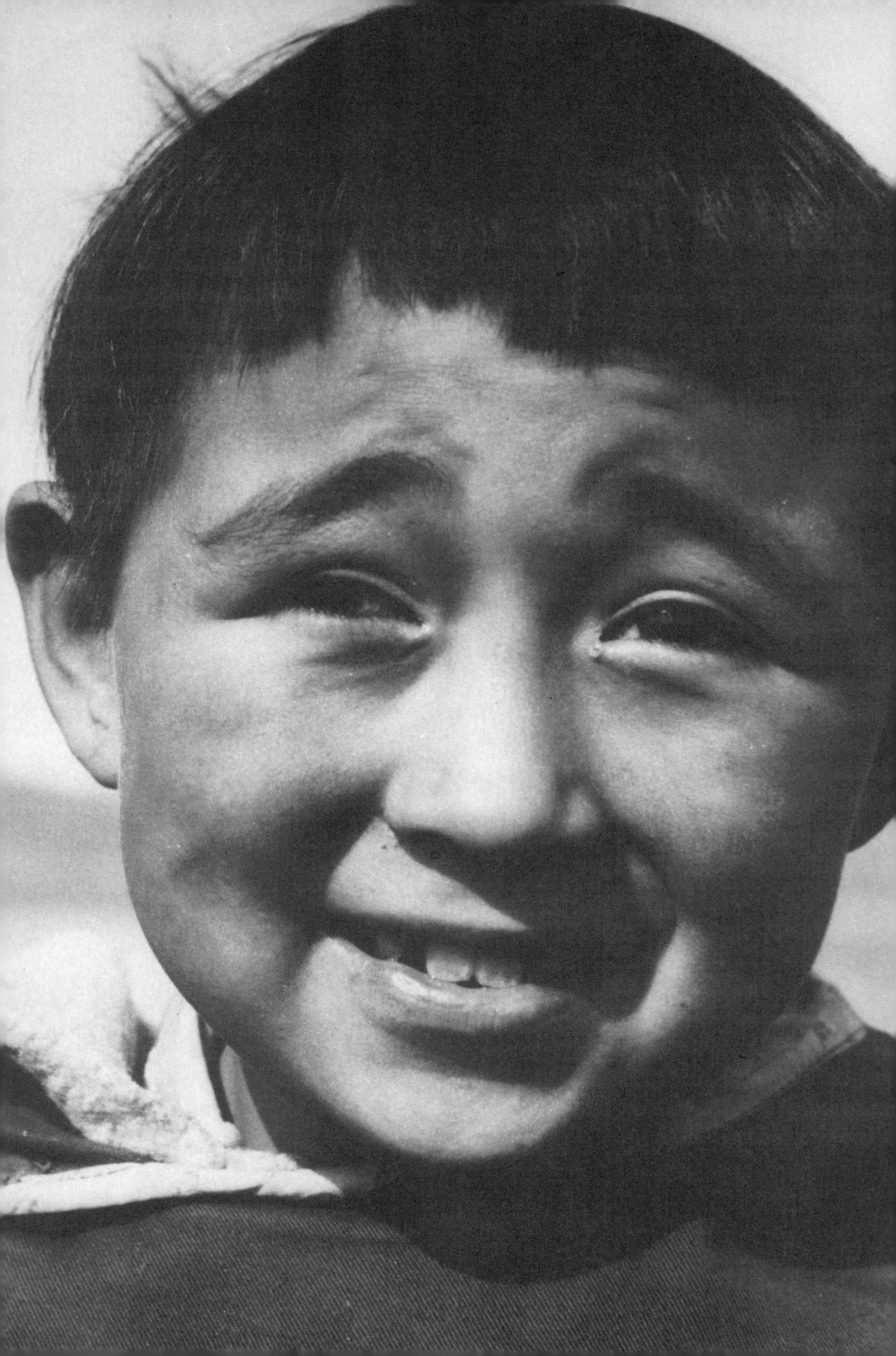

un accident, une maladie qui empêche le chef de famille d'aller tuer le gibier, et c'est la faim.

Ces périodes de grande misère semblent à peine croyables aux Inuit d'aujourd'hui. Quand je leur raconte ce que j'ai vu autrefois, certains vont jusqu'à contester ces faits, qui leur paraissent des histoires à dormir debout. Parfois, je souhaiterais que certains morts se réveillent pour venir témoigner! Il est bien facile, aujourd'hui, d'ergoter sur le temps passé: les Inuit de 1977 ne connaîtront jamais la terrible vie que leurs pères ont dû traverser — ces situations de misère ne se produisent plus.

Je me souviens d'avoir séjourné dans le camp d'Okiivik, pendant une période où la chasse était particulièrement mauvaise. Chaque jour, on voyait les chasseurs rentrer bredouilles, ou avec du si petit gibier qu'il n'y avait vraiment pas de quoi nourrir tout le monde. Les provisions que j'avais apportées pour une semaine furent vite épuisées, car tout le monde avait faim. Il y eut un jour où Lucasse Udlatuaruserq revint de la chasse avec un lagopède... qui fut partagé en six, les meilleurs morceaux allant aux deux plus jeunes enfants. J'avoue que j'eus honte de grignoter la patte qu'on m'avait gentiment cédée.

* * *

* Au fond, il suffisait de peu de chose pour rentrer bredouille de la chasse. Bien sûr, il y avait le manque de gibier: cela ne pardonne pas. Mais il arrivait que, malgré la présence de gibier, la malchance s'acharne sur le chasseur et

---

* Dans les épisodes qui suivent, "Koumak" représente en réalité plusieurs personnages.

que celui-ci ne parvienne tout de même pas à rapporter le plus petit morceau de viande.

C'est ce qui est arrivé, ce jour de printemps où je partis avec Koumak pour aller chasser le phoque. Il faisait plein soleil et relativement chaud: une journée que les phoques affectionnent pour sortir de l'eau et se laisser chauffer au soleil. Nous sommes donc partis, dès le lever du jour, et nous avons suivi le traîneau à chiens sans dire un mot, jusqu'au moment où nous sommes arrivés au pied d'une colline rocheuse qui dominait la baie.

— C'est ici, dit Koumak sans me regarder, commençant déjà à gravir la colline. C'est ici qu'on va regarder.

"Il suffisait de peu de chose pour rentrer bredouille de la chasse."

Je le suivis. Comme toujours, Koumak savait ce qu'il faisait: la colline constituait un excellent observatoire. Nous pouvions voir une grande partie de la baie, que le printemps commençait déjà à travailler. Des failles s'élargissaient dans la glace encore couverte de neige, laissant apparaître d'étroits rubans d'eau salée qui, ce matin-là, était d'un vert émeraude presque parfait. Ici et là, des flaques bleu pâle se formaient à la surface de la glace. Plus loin, tout à fait à l'horizon, un nuage de brouillard grisâtre traînait très bas. Il indiquait la ligne de démarcation de la mer libre et prouvait que la débâcle était commencée pour de bon.

Une fois de plus, la banquise qui, chaque année, bloque le détroit et la baie d'Hudson, se disloquait. Des murailles de glace s'amoncelaient, glissaient les unes sur les autres, se soulevaient et descendaient avec des craquements sinistres. Au ciel, d'immenses cumulus ouateux flottaient mollement, poussés par la brise du sud; au passage, ils projetaient des ombres mouvantes sur la glace aveuglante de la baie. Entre eux, le ciel était bleu, d'un bleu profond à vous donner le vertige... Le pays des Inuit, vous savez, ce n'est pas que de la neige et du vent...

Koumak était accroupi à côté de moi. Il avait relevé ses lunettes noires sur son front hâlé et, lentement, avec une extrême minutie, il observait la baie à travers ses jumelles.

— Regarde, fit-il au bout d'un moment, en me tendant les jumelles.

Loin sur la baie, j'aperçus deux taches noires. Je savais bien ce que c'était. Même de la distance où nous étions, nous ne pouvions nous tromper: il s'agissait bien de phoques étendus sur la glace. En effet, quand le printemps est arrivé et que le soleil de midi commence à chauffer, l'animal sort de son aglou* et s'étend de toute sa longueur sur la glace, sa tête reposant confortablement dans la neige fondante. Il étire ses courtes pattes palmées et expose au soleil sa fourrure rase et reluisante. Parfois, il entend quelque chose. Peut-être un ennemi? Alors, il se retourne, dresse la tête et inspecte tout l'horizon. Au bout d'un moment, rassuré, il s'allonge de nouveau pour continuer à jouir de son bain de soleil.

Koumak glissa les jumelles dans l'étui qui pendait à son épaule et se leva. Pendant quelques secondes, il resta immobile, le regard perdu quelque part sur la baie qui s'étendait à nos pieds. Puis nous sommes descendus, en suivant le sentier laissé par les pas de tous ceux qui venaient inspecter les alentours avant de partir à la chasse.

— C'étaient bien des phoques? demandai-je, ne me fiant tout de même pas trop à l'interprétation que j'avais faite des taches noires aperçues sur la glace.

— Oui, deux... mais loin.

Hochant la tête, il s'approcha du traîneau. Saisissant sa carabine, il en fit jouer la culasse pour s'assurer de son bon fonctionnement. Puis, il plaça les quelques cartouches qu'il lui restait dans sa bandoulière en peau de phoque et fixa le tout sur le traîneau. Enfin, il détacha le traîneau et excita les chiens.

— Peut-être que nous mangerons ce soir, dit-il en souriant, au moment où nous partions.

Les chiens amaigris et efflanqués s'efforçaient de tendre les traits. Le long traîneau avançait lentement sur ce qui

---

* *L'aglou* est un trou dans la glace, par où le phoque vient respirer en hiver. Au printemps, il l'élargit pour sortir au soleil.

restait de neige, sur la mousse et sur les rochers. Tout cela descendait vers la baie. Nous courions le long du traîneau, fatigués comme nos chiens parce que, comme eux, nous avions faim — d'autant plus que la chaleur du jour rendait gênants nos vêtements de fourrure si précieux en hiver. Nous avions faim, et la famille de Koumak avait faim, et tous ceux du camp avaient faim. C'était pendant une période où la chasse était mauvaise; on n'attrapait rien nulle part et, sans argent, le Blanc du magasin ne laissait pas partir sa marchandise... Alors, il était important de tuer au moins un phoque. Il n'y en avait que deux! Il ne fallait pas les manquer...

En peu de temps, nous avons atteint une falaise de glace, dont nous avons longé le sommet. Puis, nous nous sommes engagés sur la banquise, sur cette glace plate recouverte de neige fondante. Par moments, le traîneau s'enfonçait dans des trous boueux; nous grimpions aussitôt sur le traîneau pour éviter de nous mouiller. Les chiens avançaient lentement, avec régularité, le ventre traînant dans la neige boueuse.

— Aah! Aoh! dit Koumak à mi-voix pour arrêter l'attelage.

Le traîneau s'immobilisa et les chiens se tournèrent vers nous, comme pour attendre de nouveaux ordres. Mais déjà nous étions descendus du traîneau et Koumak s'affairait à calmer les chiens. Pendant ce temps, je sortais le *takkak** du traîneau, le déployant soigneusement et tendant la toile blanche sur son petit cadre fragile.

---

* *Takkak:* toile tendue sur un léger cadre de bois. Le chasseur se dissimule derrière cet écran pour approcher les phoques.

Instruments de chasse I

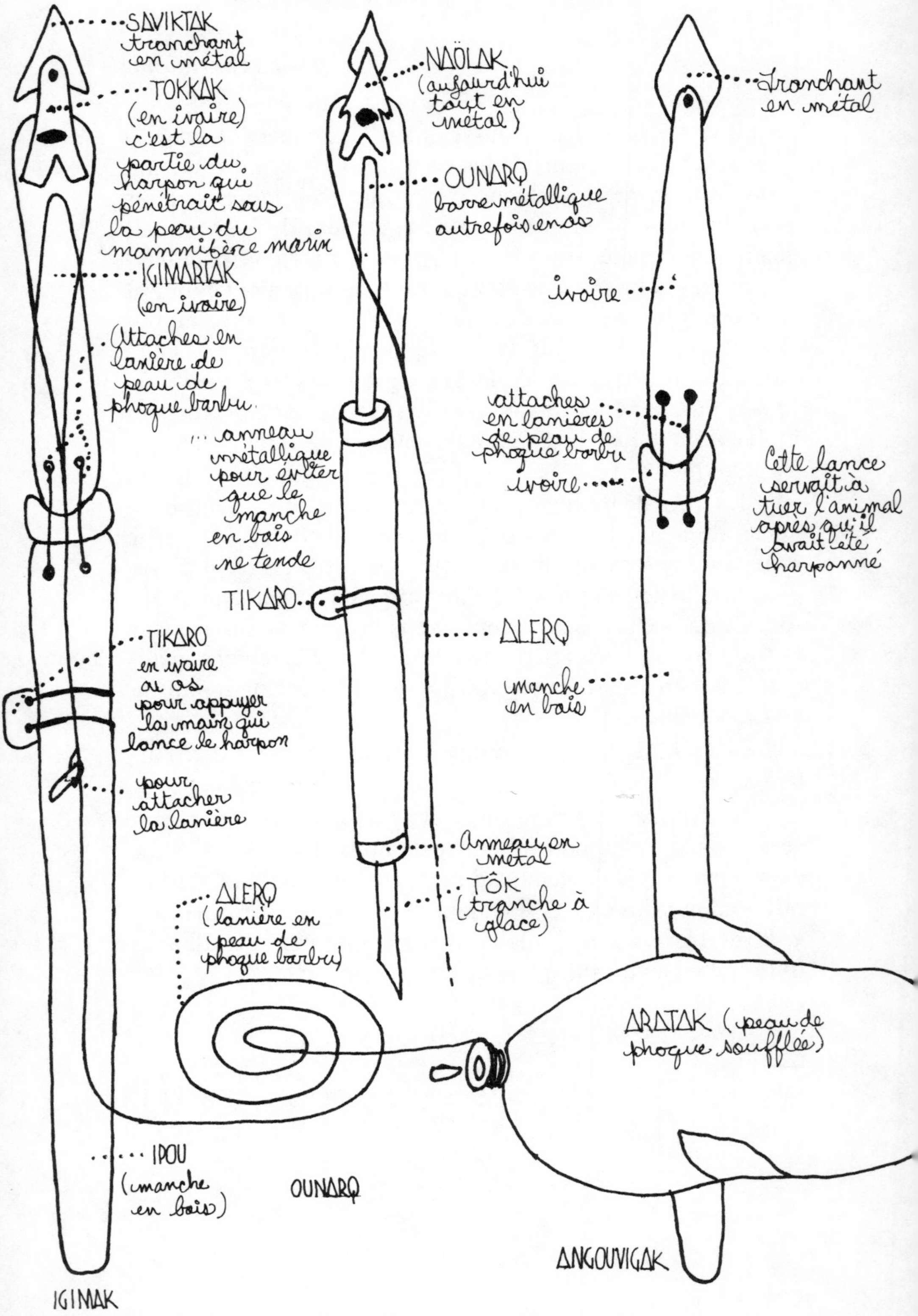

SAVIKTAK tranchant en métal

TOKKAK (en ivoire) c'est la partie du harpon qui pénétrait sous la peau du mammifère marin

IGIMARTAK (en ivoire)

Attaches en lanière de peau de phoque barbu

TIKARO en ivoire ou os pour appuyer la main qui lance le harpon

pour attacher la lanière

ALERQ (lanière en peau de phoque barbu)

IPOU (manche en bois)

IGIMAK

NAÖLAK (aujourd'hui tout en métal)

OUNARQ barre métallique autrefois en os

... anneau métallique pour éviter que le manche en bois ne fende

TIKARO

ALERQ

Anneau en métal

TÔK (tranche à glace)

OUNARQ

Tranchant en métal

ivoire

attaches en lanières de peau de phoque barbu

ivoire

Cette lance servait à tuer l'animal après qu'il avait été harponné

manche en bois

ARATAK (peau de phoque soufflée)

ANGOUVIGAK

Instruments de chasse II

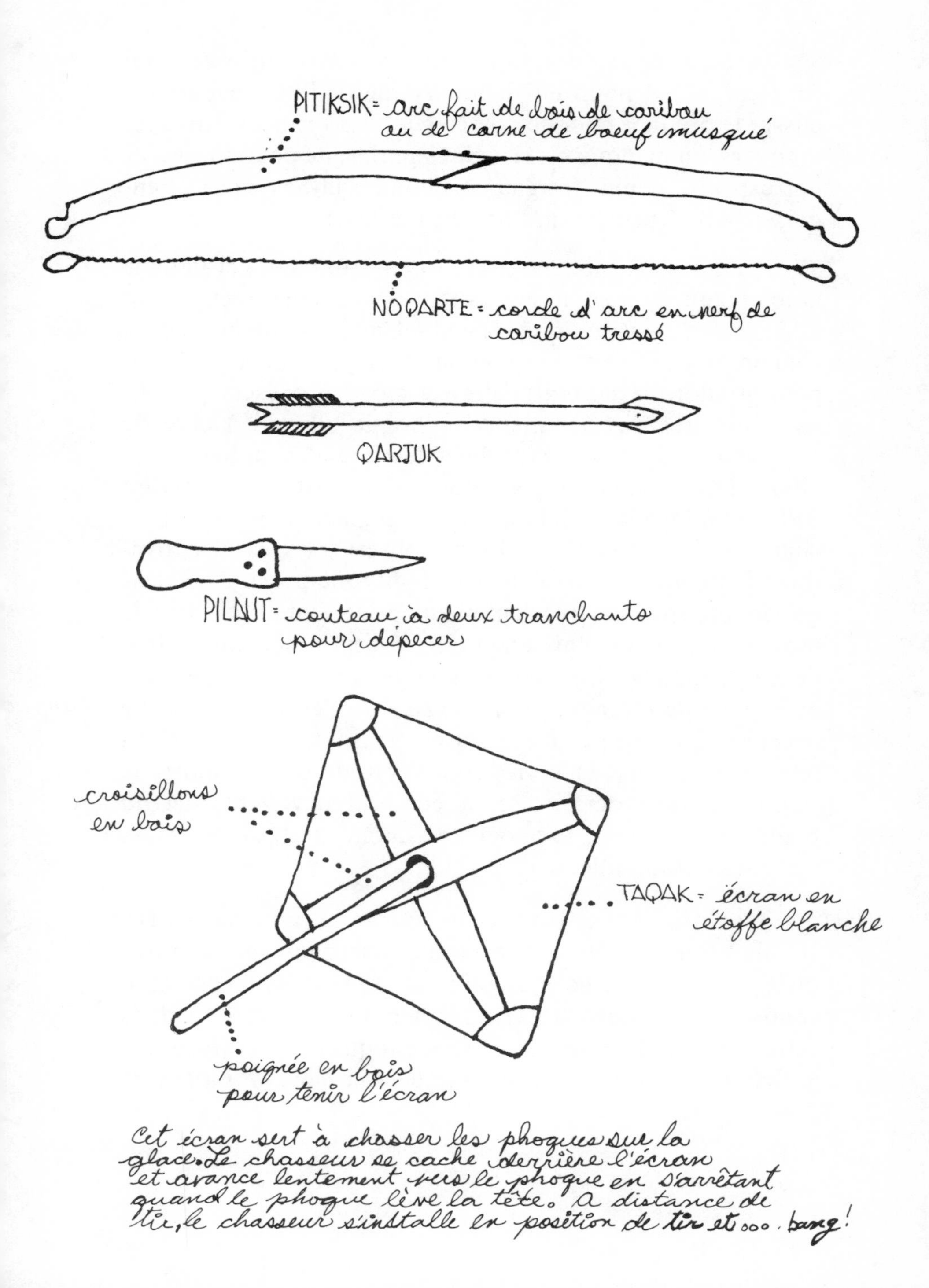

Cet écran sert à chasser les phoques sur la glace. Le chasseur se cache derrière l'écran et avance lentement vers le phoque en s'arrêtant quand le phoque lève la tête. A distance de tir, le chasseur s'installe en position de tir et ... bang!

A cette époque, je commençais à être un assez bon chasseur. C'est pourquoi Koumak me fit l'honneur de me laisser le premier phoque... Messieurs les Français, tirez les premiers, en quelque sorte... Sans parler, de peur d'effrayer notre proie, il me désigna le phoque, là-bas sur la banquise; puis il prit la carabine et me la tendit.

Tenant la carabine dans la main droite et l'écran dans la main gauche, je marchai lentement dans la direction que Koumak m'avait indiquée, pendant que les chiens se couchaient et que mon compagnon s'asseyait sur le traîneau pour attendre. Tout était calme et mort. A présent, je pouvais voir très distinctement le phoque allongé à côté de son trou. J'avançais avec les plus grandes précautions, allant de glaçon en glaçon pour éviter d'attirer l'attention de la bête. Quand je débouchai sur la glace plate, je me cachai derrière mon écran blanc, observant très attentivement le phoque par le petit trou de la toile prévu à cet usage. Je progressais très lentement pour éviter de faire le moindre bruit, connaissant l'ouïe exceptionnellement fine de ces animaux. Lorsque le phoque restait allongé sans avoir l'air de craindre quoi que ce soit, j'en profitais pour accélérer quelque peu mon allure... Puis l'animal dressait la tête, étirait son cou et regardait autour de lui: alors, je m'immobilisais derrière mon écran. Ne voyant que du blanc autour de lui, le phoque se rassurait et, de nouveau, s'étendait tranquillement.

Quelques pas encore, et la bête serait à portée de tir. Il fallait faire attention. A présent, un rien pouvait compromettre le résultat de mes efforts... Quand je lâchai mon coup — claquement sec, étrangement perdu et étouffé dans cette impensable immensité —, le phoque eut un sursaut qui le déporta brusquement du côté de son trou. Comprenant ce qui était en train de se passer, je lâchai l'écran et, me dressant, j'entamai un sprint vers la bête qui tressautait sur la glace. Mais c'était trop tard: je n'avais pas couvert la moitié de la distance, que le phoque avait eu le temps de se laisser glisser dans son trou. Il ne restait plus qu'un vague bouillonnement rougeâtre dans l'eau, où il venait de disparaître, et une large tache rouge sur la neige...

Là-bas, le traîneau arrivait. Je pouvais déjà distinguer le visage anxieux de Koumak, qui devait s'imaginer qu'il trouverait la bête touchée à mort et perdant tout son sang au bord de son trou. Je voyais bien qu'il guidait le traîneau avec mille précautions, pour éviter les glaçons. De plus, il voulait empêcher les chiens de hurler — ce qui n'aurait pas manqué d'alerter l'autre phoque, qui aurait aussitôt disparu dans son trou.

Quand il parvint assez près pour voir qu'il n'y avait rien, son visage resta calme, sans une ombre de déception. Il arrivait, tout simplement, pour prendre la suite des opérations. Il savait très bien que ce genre d'incident se produit très souvent lorsque le phoque ne meurt pas sur-le-champ, foudroyé par le coup de feu.

— Je l'ai touché, lui dis-je. Mais il n'est pas mort sur le coup, il a eu le temps de plonger.

— Tant pis, fit Koumak, regardant déjà dans la direction où devait se trouver l'autre bête. C'est tant pis. Ces choses-là arrivent souvent.

— J'espère qu'on va avoir l'autre, murmurai-je, comme pour l'encourager. Mais il restait impassible: ni triste, ni impatient et, vraisemblablement, même pas déçu. Il n'avait que faire de vains regrets; tout son être était tendu vers les instants qui allaient suivre, qui détermineraient si oui ou non sa famille allait manger ce soir.

— Oui, dit-il au bout d'un assez long silence. Il n'est pas loin d'ici.

— Je te suis avec le traîneau, dis-je pendant qu'il se préparait.

Il vérifia de nouveau l'état de la carabine, s'attardant particulièrement au réglage de la mire. Puis, il sortit un petit bonnet tout blanc, en peau de lièvre de l'Arctique, qu'il enfonça sur sa tête aux cheveux noirs et gras. Ainsi accoutré, il prit l'écran et s'éloigna, à pas lents, pour tenter sa chance à son tour.

D'où j'étais, je pouvais apercevoir une assez large faille dans la glace, qui séparait Koumak de sa proie. Cette faille gênait évidemment le chasseur, car elle se trouvait non loin du phoque, de sorte qu'en sautant il risquait d'effrayer l'animal. Lorsqu'il eut atteint la faille, Koumak s'accroupit derrière son écran. Il restait blotti, immobile et patient, guettant la bête. Le phoque s'étira, dressa la tête et inspecta les alentours; puis, satisfait, il s'étendit de nouveau. C'est justement l'occasion qu'attendait Koumak. A peine le phoque avait-il reposé sa tête dans la neige, qu'il se redressa et sauta de l'autre côté de la faille, sans le moindre bruit apparent, et se tapit de nouveau derrière l'écran.

Mais ce que nos oreilles d'hommes ne perçoivent pas, celles du phoques le détectent. C'est pourquoi, malgré toutes les précautions que Koumak avait prises au moment de sauter, le phoque avait entendu quelque chose. Il se redressa soudain et, sans attendre, d'un seul mouvement de ses nageoires, il se jeta dans son trou. Mais Koumak avait une longue expérience de la chasse au phoque. Aussi profita-t-il de l'occasion pour se placer en bonne position, dans le cas où l'animal reparaîtrait. Saisissant son écran, il courut se placer à portée de fusil du trou. Puis, fichant l'écran dans la neige, il s'accroupit derrière et se mit à attendre.

J'avais arrêté le traîneau assez loin de l'endroit où Koumak chassait. Heureusement, il avait laissé les jumelles dans le traîneau; à présent, je m'en servais pour suivre le dernier acte de cette chasse qui revêtait une importance particulière. Les secondes, puis les minutes passèrent: toujours pas de phoque. Koumak devait être rempli d'anxiété, mais il ne bougeait pas plus que les blocs de glace de la banquise. Il attendait toujours. Tout à coup un museau brillant, surmonté de deux grands yeux, émergea sans bruit du trou, puis disparut. De nouveau, les minutes s'écoulèrent, lentement, comme si cette attente n'allait jamais devoir finir. Koumak attendait. Enfin, avec un léger bruit mouillé, le phoque tout reluisant ressortit du trou et se hissa gauchement sur la glace, prêt à disparaître à la moindre alarme. Koumak ne bougeait toujours pas — son coeur devait bondir dans sa poitrine, mais il n'avait pas un mouvement. Le phoque n'était pas tranquille. A tout instant, il se dressait, examinait soigneusement l'horizon, regardait autour de lui avec circonspection. Puis, peu à peu, il sembla reprendre confiance et s'étendit mollement sur la glace. C'est alors que je vis Koumak élever son arme, lentement, très lentement, prenant garde de ne pas cogner le canon contre le cadre de bois... Puis il visa, longuement, sachant bien qu'il n'aurait pas le temps de tirer une seconde balle...

Le coup partit. L'animal fit un petit bond vers son trou, puis resta immobile. Le sang qui jaillissait de sa blessure tachait la neige autour de lui. Le phoque était à peine tombé, que Koumak s'élançait déjà. En quelques bonds, il était sur lui. Attrapant prestement sa nageoire caudale, il tira sa prise à quelque distance du trou — question de ne rien risquer. Puis il se tourna vers moi et agita les bras.

— Il est tué! criait-il, eh! il est tué!

J'étais heureux: ce soir, ils mangeraient à leur faim. Je me dirigeai donc, avec le traîneau, vers Koumak qui traînait sa prise dans ma direction. Il arriva presque en même temps que moi au bord de la faille par-dessus laquelle il avait sauté tout à l'heure... Mais il n'était plus question de sauter! Pendant qu'il chassait, ni lui ni moi n'avions remarqué que la faille s'était élargie sous l'action des courants, de sorte qu'à présent un véritable bras de mer le séparait de moi. Nous comprenions brusquement ce qui allait se passer. Lentement, mais inexorablement, cet îlot de glace où il se trouvait prisonnier continuerait de s'éloigner pour se diriger vers le large. Et ce serait la fin de Koumak.

Koumak me raconta par la suite que pas un instant il n'avait perdu son sang-froid, malgré tout le tragique de la situation. A la sortie de la baie, il y avait un petit promontoire de rochers, qui se terminait par un épais mur de glace. Il espérait que son île flottante s'y accrocherait au passage... Alors, tout irait bien, car il pourrait escalader la muraille de glace; sinon... Pour le moment, il ne pouvait qu'attendre et souhaiter que tout s'arrange.

Voyant que Koumak était ainsi emporté vers le large sans que je puisse efficacement intervenir, je me demandai d'abord quoi faire. Bien sûr, si j'avais eu un kayak, tout aurait été différent... Mais je n'en avais pas; et, le temps d'aller en chercher un et de revenir, le bloc sur lequel dérivait Koumak aurait rejoint le champ de glaces mouvantes et serait devenu inaccessible. Puis, je pensai, moi aussi, au promontoire et à la possibilité que l'île flottante s'y accroche au passage. De toute façon, il ne fallait pas compter sur autre chose: c'était bel et bien le promontoire de la dernière chance. Sans hésiter davantage, comme si j'avais agi d'après un plan établi au préalable, je fis faire volte-face au traîneau, lançai les chiens et commençai à longer la rive. Il fallait conduire le traîneau prudemment, lentement, parmi les glaçons. Lorsque j'eus atteint le sommet du mur de glace, je me mis à crier: "Lalla-la" aux chiens pour les faire virer à gauche, vers le promontoire.

"Je ne te voyais plus, racontait Koumak. J'avais confiance en toi, mais je ne te voyais plus. Je me disais que tu faisais tout ce que tu pouvais pour me tirer d'affaire. Pour le moment, je ne pouvais qu'attendre. Je me suis assis tranquillement; je voyais que je dérivais, il n'y avait rien à faire. J'avais mon fusil sur les genoux et le phoque mort à côté de moi. Oui, on avait de la nourriture, je pensais; oui, on va manger. Mais à quoi cette nourriture servirait-elle, si je continuais à dériver sur mon morceau de glace? Je savais bien que je risquais de gagner la pleine mer et d'y mourir. Le vrai problème était de tenter de gagner la rive par tous les moyens — mais quels moyens?"

Une heure avait passé, il dérivait toujours. Le soleil glissait graduellement vers la ligne des collines qui bordaient la baie à l'ouest et projetaient leur ombre fraîche sur la glace flottante. Koumak n'oublierait jamais le sentiment de désolation qui l'avait empli en regardant le couchant, la splendeur de ces nuages qui lui semblait une raillerie de la nature à son endroit. Une brise d'ouest soufflait; la chaleur diminuait peu à peu, annonçant l'imminence du crépuscule. A ce moment, Koumak, assis avec sa carabine et son phoque sur son immense barge de glace, appareillait sûrement pour la banquise...

"Tout à coup, la glace s'est mise à tourner sur elle-même, disait Koumak. La glace allait vite, de plus en plus vite. Nous tournions sur l'eau. Je savais que nous allions sortir de la baie. C'était déjà le courant du large qui m'entraînait. J'allais être emporté par le courant du détroit d'Hudson.

"J'observais le mouvement de la glace et je voyais bien qu'il était impossible qu'elle soit accrochée par le promontoire. Il ne me restait qu'une petite chance... Des blocs de glace tournoyaient lentement autour de mon île flottante. Je pouvais tenter de sauter sur l'un d'eux, puis essayer de gagner la rive en pagayant avec la crosse de ma carabine... Mais je n'étais pas sûr qu'il serait possible de lutter contre le courant... Le courant était très fort, je n'y arriverais peut-être pas. De toute façon, c'était mon seul espoir. Je pensais qu'il fallait que je saute... Puis, j'ai remarqué que mon île de glace tournait plus vite. J'ai regardé et j'ai vu qu'un des bords de la glace était échoué... J'ai couru du côté du promontoire, mais je me suis vite aperçu que j'étais trop loin du grand mur de glace pour pouvoir sauter. Je me suis dit que l'autre côté de mon bloc de glace devait toucher les rochers. Je me demandais s'il valait mieux attendre ou essayer à tout prix d'atteindre le rivage... Oui, je pouvais atteindre le rivage, mais il aurait fallu que j'abandonne le phoque. Je me disais que peut-être, si j'attendais encore un peu, la glace pivoterait et qu'ainsi je pourrais ramener ma capture. Mais si le champ de glace cédait, si mon île flottante se libérait, jamais plus je ne pourrais atteindre la terre... Je voyais dans ma tête tous les miens qui avaient faim et qui comptaient sur moi pour les nourrir... Non, je ne pouvais pas abandonner mon phoque... Il aurait été lâche d'abandonner le phoque... Et c'est à ce moment-là que je t'ai aperçu au sommet du mur de glace..."

J'étais arrivé en haut du mur de glace juste à temps pour voir l'île de Koumak tourner et rester accrochée. Je m'approchai autant que possible du bord de la muraille, prenant garde de ne pas glisser. Et c'est à ce moment que Koumak leva la tête.

— Saute, Koumak, saute! lui criai-je. Je vais t'aider à grimper... Saute!

— Jette une lanière, fit Koumak avec calme. Je veux arrimer le phoque.

Je savais qu'il n'était pas question d'insister: il fallait faire ce que désirait Koumak... Je courus au traîneau, attrapai vivement une lanière de cuir de phoque et revins au pas de course au bord de la muraille de glace. Je lançai un bout de la lanière à Koumak, qui s'en empara aussitôt. En un instant, il avait attaché solidement le phoque. Puis, il le traîna péniblement jusqu'au bord du champ de glace qui devait normalement venir buter sur la muraille de glace. Cela fait, le jeune homme attendit, immobile et prêt à passer à l'action dès que le moment serait venu. Les secondes passaient. La glace grinçait et craquait, mais restait toujours échouée; l'immense champ de glace se déplaçait, comme l'avait prévu Koumak. Quelques secondes encore, et il serait à portée du mur où je restais perché... Puis, Koumak jugea que le moment était venu. Vivement, il me lança le bout de la lanière et, à l'instant même où son île allait heurter le mur de glace, il sauta. Son bond avait été bien calculé; mais la glace lui céda sous les pieds et, au lieu d'attraper la main que je lui tendais, il se retrouva dans l'eau glacée. Il s'y débattait, tentant de s'accrocher à la paroi de glace qui n'offrait pas de prise. Sans perdre de temps, j'attachai le bout de la lanière retenant le phoque à un glaçon et me précipitai au secours de mon compagnon. Quelques instants plus tard, il était hors de danger et je l'aidais à se hisser jusqu'au sommet.

— Ca va? lui demandai-je en reprenant mon souffle.

— Oui... Un peu mouillé, mais ça va, répondit Koumak en enlevant une de ses bottes. Puis, tandis qu'il délaçait l'autre: Mon fusil aussi est mouillé...

Puis, il sembla soudain se rappeler quelque chose. Il se redressa comme un ressort:

— Le phoque! dit-il... Il faut hisser le phoque sur la muraille...

Mais, en nous approchant du bord du mur, nous devions nous apercevoir que le bord de l'île flottante de Koumak avait, en heurtant la rive, sectionné la lanière qui retenait le phoque. Celui-ci s'en allait là-bas, hors de portée, sur le champ de glace qu'emportait au large le courant du détroit.

Nous sommes restés là sans rien dire. D'ailleurs il n'y avait rien à dire, ce que nous ressentions dépassait le pouvoir d'expression des mots... Puis, Koumak tordit ses vêtements ruisselants. Je lui passai une partie des miens, qui étaient tout à fait secs, et nous sommes partis vers le camp. Koumak avait des frissons... Comme moi, il devait penser à tous ceux qui ne mangeraient pas ce soir... Et pourtant, la chasse n'avait pas été mauvaise...

La chasse au phoque.

Heureusement, on ne revient pas toujours bredouille...

Le Séchage des peaux

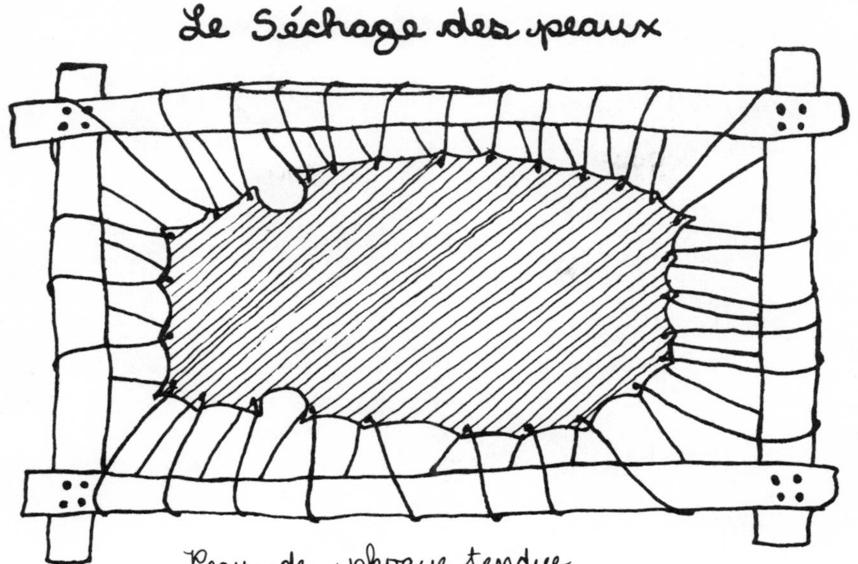

Peau de phoque tendue à l'aide de lanières en peau de phoque. Autrefois les cadres pour le séchage étaient en bois de dérive ou en fanons de baleine ou en bois de caribou.
La peau de caribou se sèche sans la tendre.

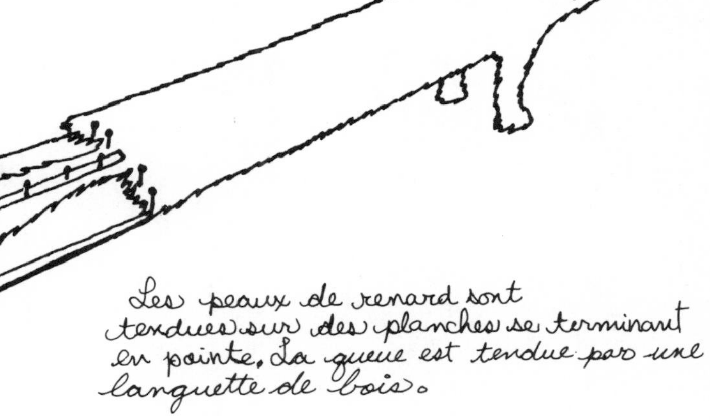

Les peaux de renard sont tendues sur des planches se terminant en pointe. La queue est tendue par une languette de bois.

Homme de tous les métiers

Tous les métiers

Nous étions en 1940. Il y avait déjà deux ans que je voyageais dans les camps des Inuit, apprenant leur langue, leurs méthodes de chasse, leur façon de voyager — en un mot, l'art de survivre dans ce pays qui vous fait payer cher vos erreurs —, quand mon compagnon supérieur, le Père Eugène Fafard, fut envoyé à Cape Dorset. On me confia donc la charge de la mission de Wakeham Bay, me donnant comme nouveau compagnon le Père Mascaret — qui, depuis son arrivée dans l'Arctique deux ans auparavant, avait aidé le Père Cartier à fonder la mission d'Ivuyivik.

Ce fut à cette époque, également, que la Compagnie de la Baie d'Hudson ferma son poste de Wakeham Bay. Rien ne laissait prévoir ce départ. L'endroit n'était probablement pas idéal pour l'établissement d'un magasin, ce n'était pas assez rentable. De toute façon, un poste définitif fut installé à Sugluk ouest où un commerçant privé, M. Salomon Ford, avait déjà tenu un magasin mais venait de mourir.

Comme on peut facilement l'imaginer, ce nouvel état de choses ne nous arrangeait pas tellement. A présent, il fallait voyager beaucoup plus qu'auparavant. Nous essayions d'aider les Inuit qui étaient demeurés à Wakeham Bay, en leur distribuant les provisions que nous receviions pour notre mission, en attendant que nous puissions aller acheter la nourriture indispensable au magasin de Sugluk, à quelque deux cents milles plus loin.

De plus, à cette époque, les Inuit vivaient en petits camps répartis sur une grande partie du territoire, éparpillés le long de la côte, de sorte qu'il fallait continuellement voyager pour les contacter. C'est ce que je commençai à faire. Je me mis à parcourir continuellement la côte, car mon évêque m'avait demandé d'entrer en contact avec les Inuit du Nouveau-Québec... Et, ces Inuit, il ne fallait pas attendre qu'ils viennent vous voir chez vous: la seule solution consistait à aller les relancer dans leurs camps. En gros, ces voyageurs se situaient entre Ivuyivik et Fort Chimo: ce n'était pas une sinécure!

Bien souvent, ces voyages d'approvisionnement étaient tout simplement pénibles. A l'aller, nous n'emportions que des fourrures et le strict nécessaire pour le voyage, nous nourrissant la plupart du temps de poisson sec fumé. La charge était donc légère et les chiens tiraient allégrement. Mais au retour, c'était une autre histoire: nos traîneaux étaient lourdement chargés de provisions, à tel point qu'il nous est arrivé de devoir en abandonner une partie en route, quitte à retourner la chercher plus tard. Nous ne pouvions pas faire autrement, nos chiens étant trop fatigués de tirer une telle charge dans la neige molle.

LONGLAC PUBLIC LIBRARY

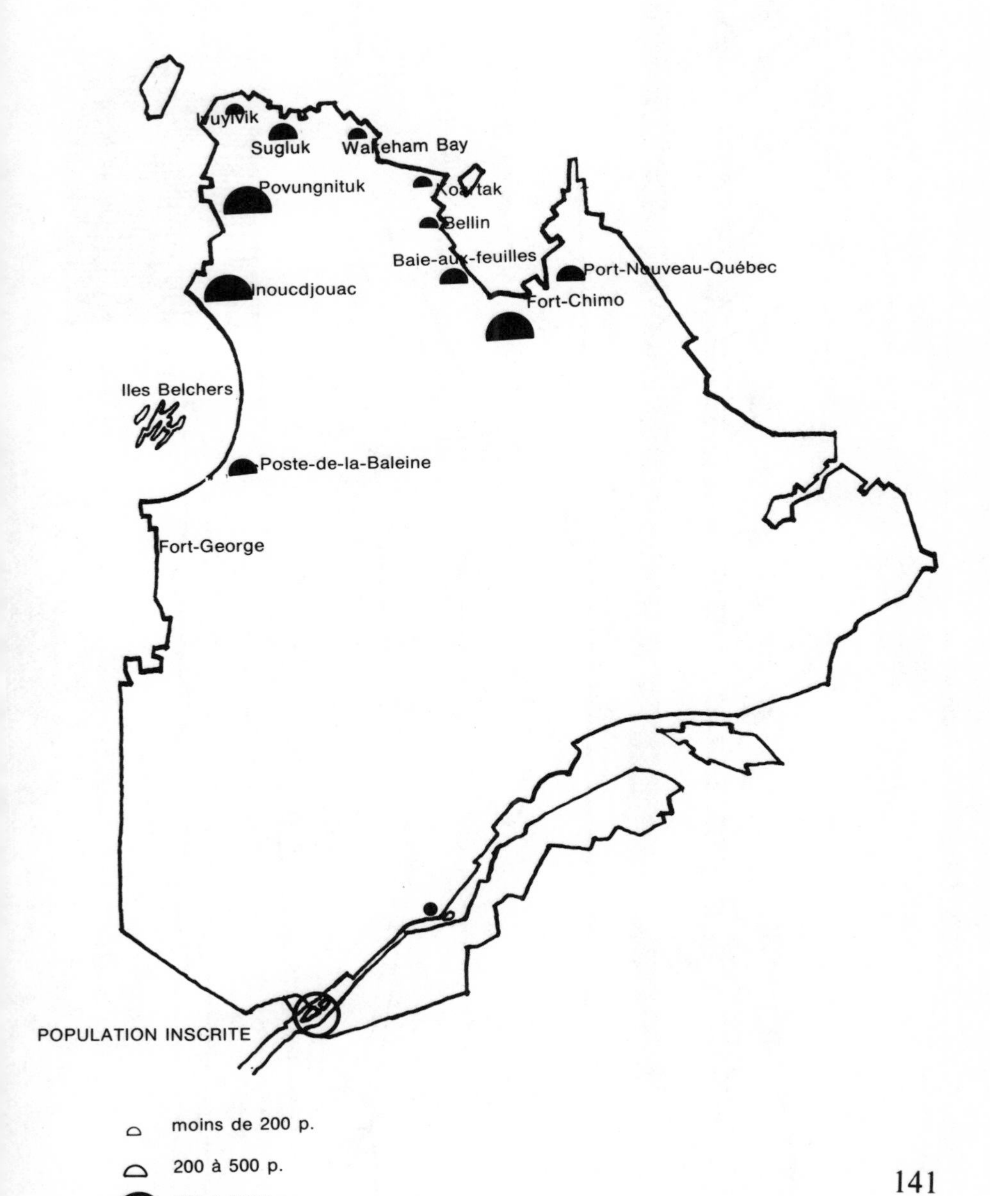

Équipement de voyage

IPERAOUTAK = fouet fait de lanières en peau de phoque barbu

manche en bois ou en os

SANGOUATSIVIK poignée en bois de caribou pour diriger

NAQITAROUTI lanière pour attacher la charge

NAPOUL'IOROUTI = lanière qui attache les barres transversales que l'on appelle Wapou

OERNK partie avant relevée

QAMOUTIK

PITOU

SERMERQ Terre gelée rabotée en forme de cylindre

KINATAROUT = Morceau de peau de morse utilisé comme frein

KAURTISAIKOUT lanière de peau pour empêcher le PITOU d'aller sous la traîne lorsqu'elle va plus vite que les chiens (dans les descentes)

ANOU le harnais du chien

IPIOUTAK le trait

NOUBRITI

OURSIQ

NAQITARVIK Lanière de peau longeant la traîne sert à passer la lanière qui attache la charge

SANIROUAQ (en os ou ivoire)

MITUYAOUT Pelle à glace effritée quand on fait un trou pour pêcher.

KAMIK botte pour chien au printemps

TÔK = tranche à glace

AQLIÂT Sommier en branches de saules nains, reliées par de la lanière de peau.

Sous les patins de bois il y avait ou des fanons de baleine ou des "lisses" en fer. En hiver, les Inuit recouvraient cela d'une épaisseur de terreau trempé et gelé, raboté en forme de cylindre que l'on enduisait d'eau qui gelait immédiatement et rendait

Voyage d'approvisionnement entre Ivuyivik et Fort Chimo.

Constamment, les Inuit nous montraient l'exemple; leur indomptable courage, leur endurance quasi illimitée nous ont souvent servi d'inspiration lorsque nous nous croyions au bout du rouleau. Leur bonne humeur communicative ne pouvait faire autrement que de nous remonter le moral. Encore une fois, je me demande comment l'écrivain de mauvais goût dont j'ai parlé plus haut a pu vouloir flétrir un peuple rempli d'une telle noblesse de sentiments!

Pourtant, leur vie était dure. J'ai déjà dit à quel point leur lutte pour la survie était ardue: pour les Inuit manger était un sujet de préoccupation constante. Je me souviens d'un voyage que je faisais pour me rendre à Fort Chimo. Avant d'atteindre Payne Bay, nous avons rencontré un Inuk au visage émacié, qui marchait vers Koartak. Il avait faim. Nous étions tout disposés à le faire manger; mais il ne voulut accepter qu'un morceau de viande faisandée de morse, provision de route de nos chiens. Nous en avons donc coupé un beau gros morceau, qu'il attrapa à deux mains et se mit à dévorer... Ceux qui n'ont jamais souffert de la faim ne peuvent pas comprendre. En le regardant, j'avais les larmes aux yeux. Mais il nous fallait poursuivre notre voyage. J'avais hâte de repasser par là, pour voir si les conditions de vie seraient meilleures. Par bonheur, durant ce laps de temps, la chasse avait été bonne, de sorte que ces gens mangeaient à leur faim.

Si les Inuit souffrent parfois de la faim, ce n'est pas qu'ils soient très exigeants. Ils se contentent, naturellement, de ce que leur territoire peut leur fournir — et l'on sait que l'Arctique n'est pas trop tendre pour ses enfants. Leur mets principal, c'est la viande, qu'ils mangent crue — d'ailleurs, le mot Esquimau signifie, littéralement: mangeur de viande crue. Ils n'ont pas, en général, la possibilité de choisir: ils prennent ce qui se présente. Le plus souvent, il s'agit de viande de phoque, de morse, de *beluga* (baleine blanche), de caribou, d'oiseaux divers (lagopèdes, oies, canards) et d'ours. Il leur arrive, parfois de faire bouillir leur viande, ou encore de la laisser faisander et de la manger gelée. Quant au poisson, il se mange, lui aussi, cru ou bouilli. Je me rappelle les véritables festins que s'offraient parfois les Inuit en faisant une sorte de trempette de leur viande dans de l'huile rance *(miserak)*. Aujourd'hui encore, le *miserak* est très apprécié — alors que les jeunes n'aiment pas beaucoup la viande faisandée.

En été, évidemment, le menu était un peu plus diversifié. Bien des gens prétendent que le climat des rives du

La beluga.

détroit d'Hudson consiste en dix mois d'hiver et deux mois de temps plus doux où le terrain est impraticable et les voyages en traîneau absolument épouvantables. D'autres nient tout cela, affirmant qu'il n'y a jamais d'été, mais seulement deux semaines où l'on est infesté de moustiques. Quoi qu'il en soit, ceux qui vivent toujours dans cette région apprécient énormément l'été de l'Arctique, si court qu'il soit. On voit enfin autre chose que la monotone blancheur de la saison glacée. Des taches jaunes et vertes se découpent sur l'uniformité brune et blanche des collines. Le sol des vallées se couvre d'un vert presque lumineux relevé ici et là de fleurettes jaunes. La mer est d'un bleu intense, où se

La clémence de l'été.

détachent des glaçons blancs. Les icebergs eux-mêmes ont des reflets nacrés, ils ressemblent à de grosses perles — parfois ils brillent vraiment comme d'immenses diamants...

Mais, pour l'Inuk, l'été c'est surtout la saison des myrtilles, des canneberges et de toutes ces plantes dont ils peuvent consommer les fruits, les feuilles et les racines. Il faut qu'ils en profitent tandis que ça passe — ça ne dure pas longtemps!

* * *

Cette recherche constante de nourriture a développé chez les Inuit des aptitudes exceptionnelles pour la chasse. Pour eux, c'est une question de vie ou de mort. Bien sûr, aujourd'hui, tout cela a bien changé; on a tâché de faire de l'Inuk un consommateur de l'âge atomique, de transformer ce prédateur en producteur — de sorte que l'art de la chasse n'est plus tout à fait ce qu'il était. En tout cas, la chasse n'a plus la même signification. Quand on peut acheter toute la nourriture dont on a besoin, on est moins porté à aller "tuer soi-même son repas..."

Un jour, alors que je séjournais à Payne Bay, un vieil Inuk avait repéré un phoque qui se chauffait le dos au soleil du printemps, pas très loin du poste de la Compagnie de la Baie d'Hudson. Le vieux nous regarda en souriant d'un air rusé.

— *Natserq aisiyara,* dit-il; je vais chercher le phoque.

J'avais beau tenir les Inuit pour des chasseurs exceptionnels, je ne les croyais tout de même pas capables d'attraper les phoques avec leurs mains nues. Car le vieux n'avait pas la moindre arme — pas même un couteau. Evidemment, j'étais intrigué: il y avait de quoi. Je surveillai donc attentivement le vieux chasseur, qui avait commencé de s'éloigner, lentement, sur la glace de la baie. Il ne marcha pas longtemps. Au bout de quelques pas, il se laissa glisser de tout son long par terre et se mit à ramper, imitant les gestes d'un phoque. Je connaissais cette tactique, je l'avais même pratiquée avec succès... Mais à cette différence près que moi, je traînais une carabine; parvenu à bonne distance de tir, il ne s'agissait plus que d'abattre l'animal qui ne s'inquiétait pas de ce qu'il prenait, de loin, pour un congénère. Au fond, c'était une variante du système de l'écran blanc plus couramment utilisé.

Le vieux, donc, sans arme, rampait sur la glace. Il imitait si bien le phoque qu'il parvint tout près de lui sans l'avoir inquiété le moins du monde. Soudain, il lança sa mi-

“Tuer soi-même son repas.”

taine dans le trou de plongée. Le phoque sursauta. Effrayé par cet être bizarre qui flottait au milieu de sa porte de salut, il se mit à fuir au hasard sur la glace en avançant gauchement. D'un seul élan, le chasseur s'était dressé et l'avait attrapé par sa nageoire caudale; puis il l'avait tout simplement assommé à coups de pied sur le crâne. J'avoue que j'avais rarement vu un chasseur aussi habile. J'en étais émerveillé. Plus tard, j'ai bien essayé de l'imiter — mais je n'ai jamais réussi à approcher le phoque suffisamment... D'ailleurs, c'est moins simple qu'on ne l'imagine, de ramper sur la glace... surtout quand on porte des lunettes qui deviennent tout embuées par la transpiration!

Je n'étais pas mauvais tireur, et j'ai eu la chance d'abattre le premier phoque que j'étais allé chasser sur la glace. Cela me valut aussitôt une réputation de véritable chasseur du pays... Et plus tard, un jour que je revenais de Payne Bay en compagnie de Qamoraluk (dont j'aurai l'occasion de parler plus loin), je réussis un coup de fusil qui faillit me faire entrer vivant dans la légende.. ou presque. Nous longions le bord de la glace. Soudain, un phoque montre son nez par son trou de respiration. Sans perdre un instant, Qamoraluk s'empare de sa carabine, épaule, ajuste l'animal, tire... et le rate. Pour blaguer, je lui dis:

— Allez, donne-moi ça... Tu vas voir comment on tire!

L'air tout surpris, il me passe la 22. Rigolant au fond de moi-même, presque sûr de rater la cible moi aussi, j'épaule et j'attends que le phoque se remontre le bout du nez. Au bout d'un moment, le voilà qui sort un peu la tête. Je tire... et, croyez-le ou non, je l'abats raide! Qamoraluk n'en revenait pas — et moi non plus. Ce fut un véritable fou-rire, lorsque je lui avouai que j'étais rien moins que sûr d'atteindre la bête — que j'étais même persuadé de tirer à

Mon premier ours.

J'avais la réputation d'être un véritable chasseur du pays.

côté. Je lui rappelai alors que c'était grâce à lui et aux siens que je pouvais me débrouiller à la chasse. Car, avant mon arrivée dans l'Arctique, je n'avais jamais chassé que les mouches et les papillons... et encore, pas toujours avec succès. Mais dans ce pays, il faut savoir improviser. Un missionnaire qui ne peut pas rapidement devenir un homme à tout faire ne sert à rien, il n'a rien à faire dans l'Arc-

Pendant l'hiver, les Inuit vont cueillir des moules sous la glace, à marée basse.

tique, parmi des gens qui ont besoin de lui à n'importe quelle heure du jour ou de la nuit. Il nous fallait devenir ce que les Anglais appellent *Jack of all trades but master of none,* c'est-à-dire: homme de tous les métiers mais n'en maîtrisant aucun...

S'il fallait parler de tous les métiers que nous avons exercés chez les Inuit, on n'en finirait plus. Nous étions dentistes, médecins, chirurgiens, gynécologues, psychiatres, menuisiers, électriciens, chasseurs, pêcheurs, navigateurs, professeurs... C'était beaucoup! Munis de livres, nous apprenions de notre mieux, puis nous faisions ce que nous pouvions. Il existe des cas d'urgence où il faut faire comme si on était capable de régler au mieux la situation; oublier sa peur et ses doutes, se faire confiance, foncer avec foi... Et, le plus souvent, on se rend compte que ça réussit.

Ainsi, je n'hésitai pas, à deux reprises, à pratiquer des amputations mineures... Un après-midi, un Inuk arrive en coup de vent à la mission.

— La fille de Qamoraluk, dit-il; c'est la fille de Qamoraluk qui s'est blessée à la main...

— Est-ce bien grave? demandai-je, pour avoir au moins une idée de ce que je devais emporter.

— Elle s'est blessée à la main, répéta-t-il; ça saigne beaucoup et son doigt est presque arraché.

Cela suffisait; il n'avait pas besoin de me faire un dessin. Sans perdre de temps, j'attelai les chiens et me mis en route. Le camp de Qamoraluk étant situé à environ quinze milles de Wakeham Bay, je devais me hâter pour arriver

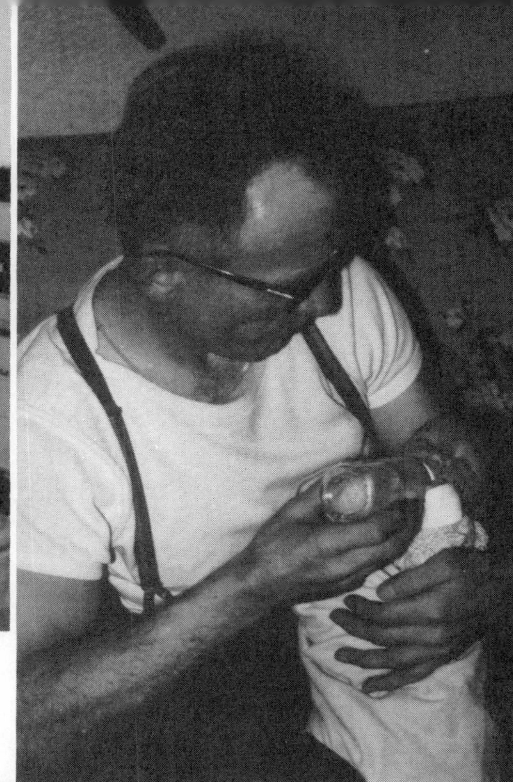

Homme de tous les métiers.

avant la nuit. Mais cette neige de printemps était molle, et les chiens tiraient péniblement. C'est pourquoi il commençait à faire noir lorsque j'arrivai devant la tente de Qamoraluk. Celui-ci m'attendait à l'extérieur, cachant de son mieux son inquiétude. En quelques mots, il me raconta que sa petite fille s'amusait à glisser sur une luge, et que l'accident était survenu quand l'auriculaire de sa main droite s'était trouvé coincé entre une barre de la luge et un morceau de glace.

J'entrai dans la tente et m'approchai de la fillette étendue par terre. Elle geignait doucement. A la faible lueur d'une bougie que tenait un parent de Qamoraluk, je défis rapidement, mais aussi délicatement que possible, l'épais bandage qu'on avait appliqué sur la blessure avec de la graisse de phoque pour arrêter le sang. L'auriculaire avait été sectionné à la jointure de la phalange et de la phalangine. L'os de la phalange pointait à l'extérieur, entouré de chair déchiquetée.

Un seul coup d'oeil m'avait permis de juger de la situation. Il n'y avait qu'une chose à faire dans les circonstances: désinfecter la plaie et couper proprement le doigt à la jointure. Cette petite intervention n'est qu'un jeu d'enfant pour un chirurgien bien installé dans sa salle d'opération et disposant de tous les instruments nécessaires. Mais opérer dans cette tente où flottaient des odeurs lourdes de corps qui ont chaud, au milieu de chiots et d'enfants turbulents que la mère essayait mollement de contenir, à la lueur blafarde de cette sacrée bougie... c'était autre chose. Enfin, je n'avais pas le choix; ce n'était vraiment pas le temps de m'interroger, de douter, d'avoir peur... Il fallait au plus vite faire quelque chose pour cette enfant qui souffrait.

Je m'assis sur une vieille caisse de bois et, ayant sorti un petit scalpel de ma trousse, je me mis en frais d'effectuer l'amputation — après avoir insensibilisé la main, bien sûr, à l'aide de chlorure d'éthyle. Comme je n'y voyais pas très bien, je demandai à mon Inuk porteur de bougie d'approcher un peu la source de lumière. Le brave homme y mit tant de bonne volonté... qu'il mit le feu à ma barbe. Instinctivement, dans un réflexe, il éteignit ce début de feu de brousse d'une violente claque qui faillit me faire perdre l'équilibre. Aussi surpris l'un que l'autre, nous nous sommes regardés un instant avec des yeux ronds. Puis, nous nous sommes mis à rire: c'était le seul remède à cette situation tragi-comique.

Lorsque vint le moment de ligaturer les capillaires et de recoudre la peau sur la plaie, je m'aperçus que j'avais oublié à la mission le catgut et les aiguilles chirurgicales. Encore un problème! Mais il fallait foncer: je pris une aiguille à coudre et du fil ordinaire. Je trempai le tout dans un liquide désinfectant et je commençai mon petit travail de couture. En fin de compte, tout alla pour le mieux. Ma patiente vit encore actuellement, parvenue à l'âge mûr, sans jamais avoir éprouvé d'ennuis à la suite de mon intervention.

* * *

Au début, dans les premières années que je passai dans l'Arctique, nous recevions des produits pharmaceutiques du Gouvernement fédéral. Mais on ne nous expédiait, en fait, que les médicaments portés sur des listes standardisées, à l'usage des camps où se trouvait ce qu'ils appelaient un distributeur de médicaments. Lorsque ce distributeur faisait preuve de certaines connaissances médicales, quand il était capable d'établir de bons diagnostics, les responsables de ces expéditions gouvernementales acceptaient d'envoyer ce que le distributeur en question demandait. De telles dispositions me facilitèrent grandement la tâche, avant que le Gouvernement ne fonde des infirmeries où il envoya des infirmières diplômées.

Malheureusement, pendant la guerre, les expéditions de provisions et de médicaments diminuèrent considérablement. Cela était dans l'ordre des choses; ce n'était qu'une des conséquences de l'effort de guerre entrepris par le Gouvernement. Même le charbon nous était compté, et il vint un temps où notre mission n'était guère plus confortable qu'un iglou. Le Père Mascaret et moi avions installé nos lits à côté du poêle pour essayer de ne pas trop grelotter. Ce fut une époque difficile, notre vie n'avait rien de drôle... Mais, au fond, ce n'était rien à côté des conditions dans lesquelles se déroulait la vie quotidienne des Inuit.

La petite Marie dans l'iglou tout givré.

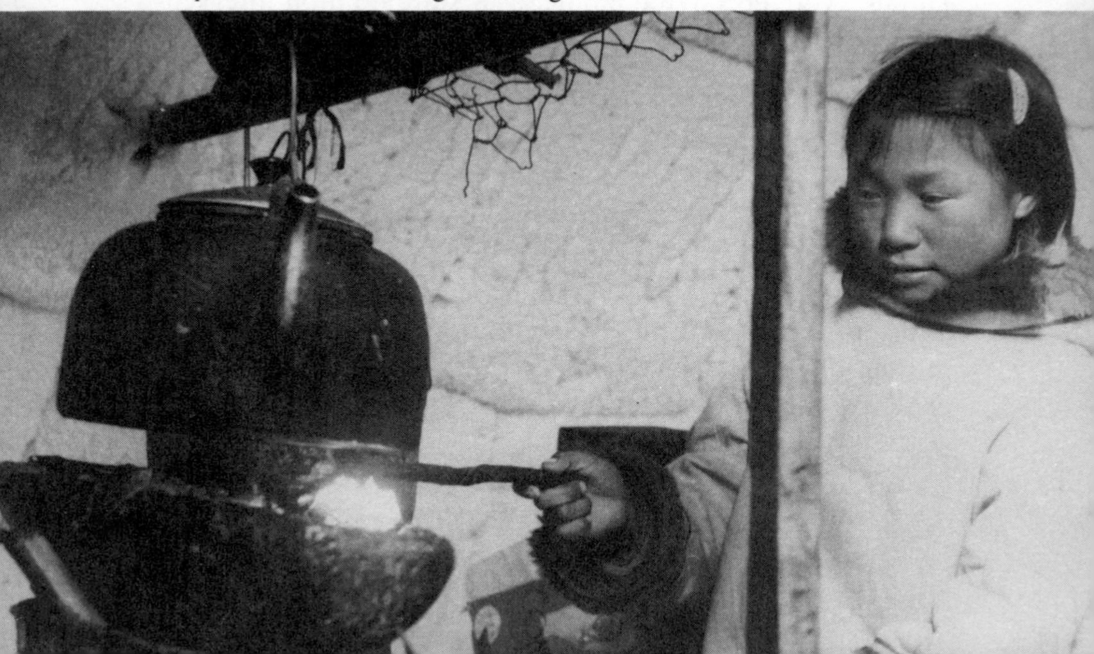

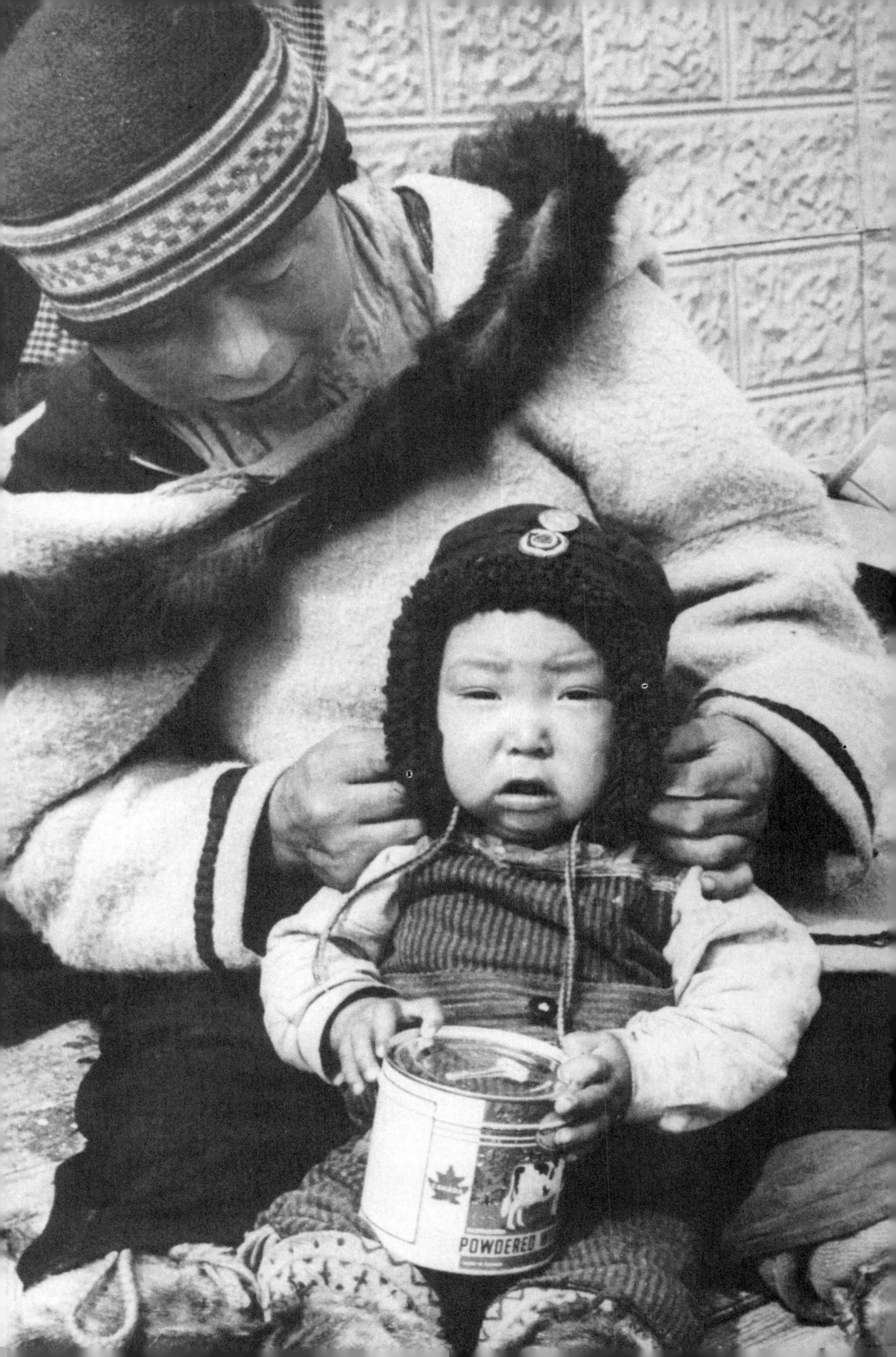
POWDERED

Survivre

Dans l'Arctique, la survie d'une famille dépendait exclusivement des chasses du chef de famille — c'est-à-dire le père. S'il arrivait, pour une raison ou pour une autre, que le chef de famille ne soit plus capable de chasser et qu'il ne se trouve chez lui aucun fils âgé ou aucun gendre pour prendre la relève, la famille ne devait plus compter que sur la charité des voisins pour se nourrir. Il n'y avait pas de demi-mesures: tu chasses ou tu as faim!

Ces conditions de survie sont tellement exigeantes, qu'il nous est déjà arrivé, au Père Mascaret et à moi, de vivre avec une famille dont le père ne pouvait plus chasser, afin de les aider à se nourrir. Ugjuak, le chef de la famille était resté partiellement paralysé à la suite d'une grave maladie. Il avait été un excellent chasseur, mais il ne pouvait plus rien faire pour les siens. Bien sûr, les Inuit s'entraidaient et la famille ne risquait pas de mourir de faim. Mais, tout de même, cette situation ne pouvait durer: on ne peut compter éternellement sur la charité de ses voisins...

Ugjuak était un très habile artisan. Nous avons donc fait en sorte qu'il ait un peu de travail. Nous prenions des commandes, qu'il exécutait. Il fabriqua ainsi des harpons *(naulak)*, des couteaux pour femmes *(ulu)*, des couteaux à neige *(pana)*, des traîneaux, des kayaks, etc. De cette façon, il pouvait se sentir utile à quelque chose, c'était très bon pour son moral... En fait, ce n'était efficace que pour son moral. Car, dans cette région, inutile de croire qu'on allait nourrir sa famille autrement que par la chasse et la pêche. Mais c'était au moins cela de pris... et puis, il y avait nos provisions...

Par malheur, le Patron n'a jamais appris à ses missionnaires les secrets de la multiplication des pains et des poissons. C'est pourquoi nos provisions ne tardèrent pas à s'épuiser. De toute façon, le printemps était dans l'air, de sorte que nous avons décidé de partir avec la famille pour Fisher Bay. Nous avions l'intention de vivre avec eux le temps qu'il faudrait pour les tirer d'affaire. Nous vivions dans une tente; une seconde tente que nous avions emportée nous servait de chapelle.

Cela nous faisait six bouches à nourrir. Heureusement, mon compagnon était un excellent chasseur. Nous pouvions donc subvenir aux besoins de la famille. Le seul fils d'Ugjuak, Iktokotak, avait environ douze ans. C'était déjà un bon chasseur, mais sans son père il ne pouvait rien faire. Aussi ne se fit-il pas prier pour nous accompagner dans nos expéditions de chasse.

Un jour, le Père Mascaret chassait le phoque sur la glace, en compagnie d'Iktokotak. Pendant que le Père, muni de son écran, essayait de s'approcher du phoque, Iktokotak restait près du traîneau pour retenir les chiens et les empêcher de hurler. Parvenu à portée de tir, mon

de Kayak

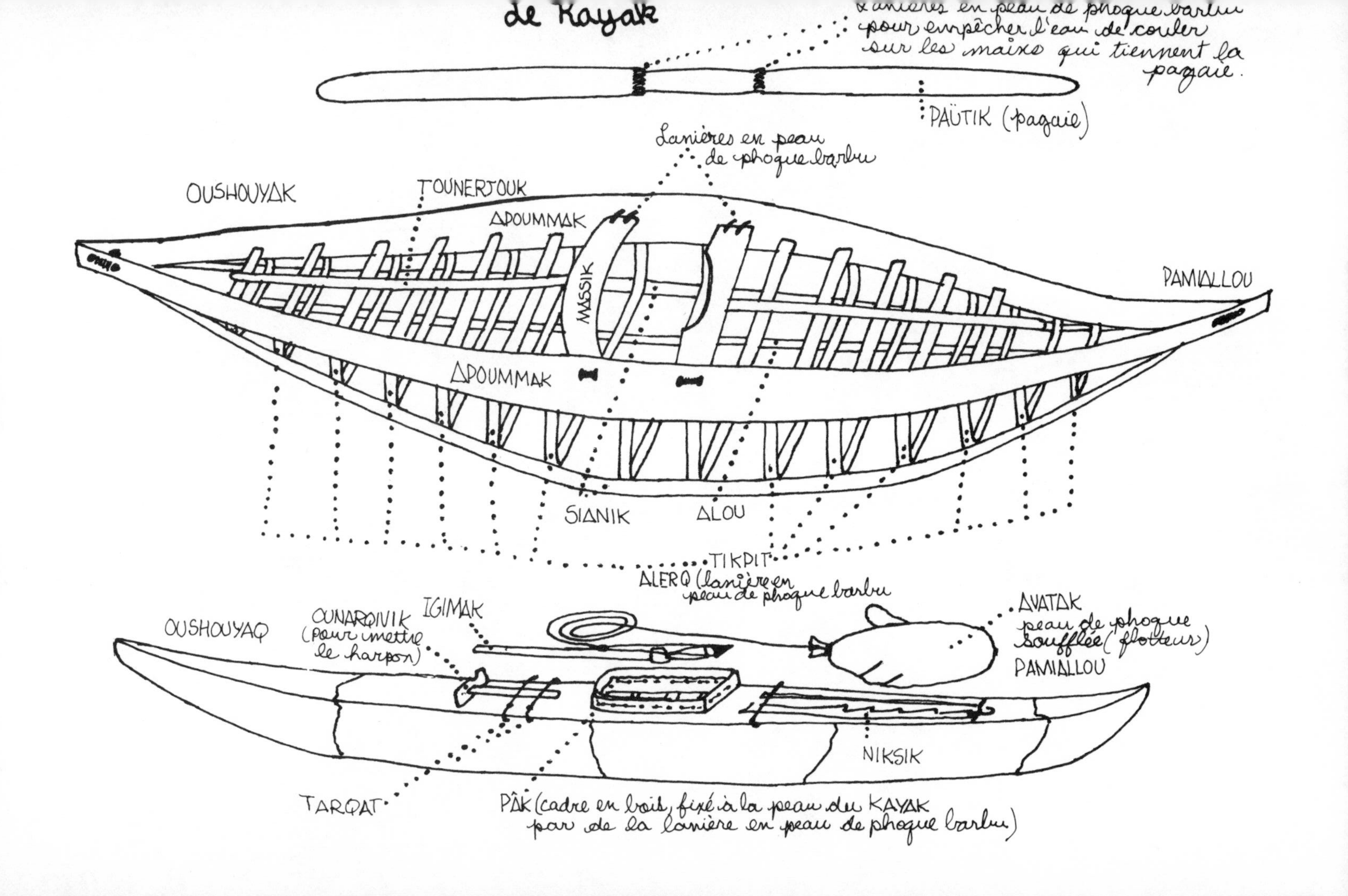

Lanières en peau de phoque barbu pour empêcher l'eau de couler sur les mains qui tiennent la pagaie.
PAÜTIK (pagaie)
Lanières en peau de phoque barbu
OUSHOUYΔK
TOUNERJOUK
ΔPOUMMAK
MΔSSIK
PAMIΔLLOU
ΔPOUMMAK
SIΔNIK
ΔLOU
TIKPIT
ALERQ (lanière en peau de phoque barbu
IGIMAK
OUNARQIVIK (pour mettre le harpon)
OUSHOUYAQ
ΔVATΔK peau de phoque soufflée (flotteur)
PAMIΔLLOU
NIKSIK
TARQAT
PÂK (cadre en bois, fixé à la peau du KAYAK par de la lanière en peau de phoque barbu)

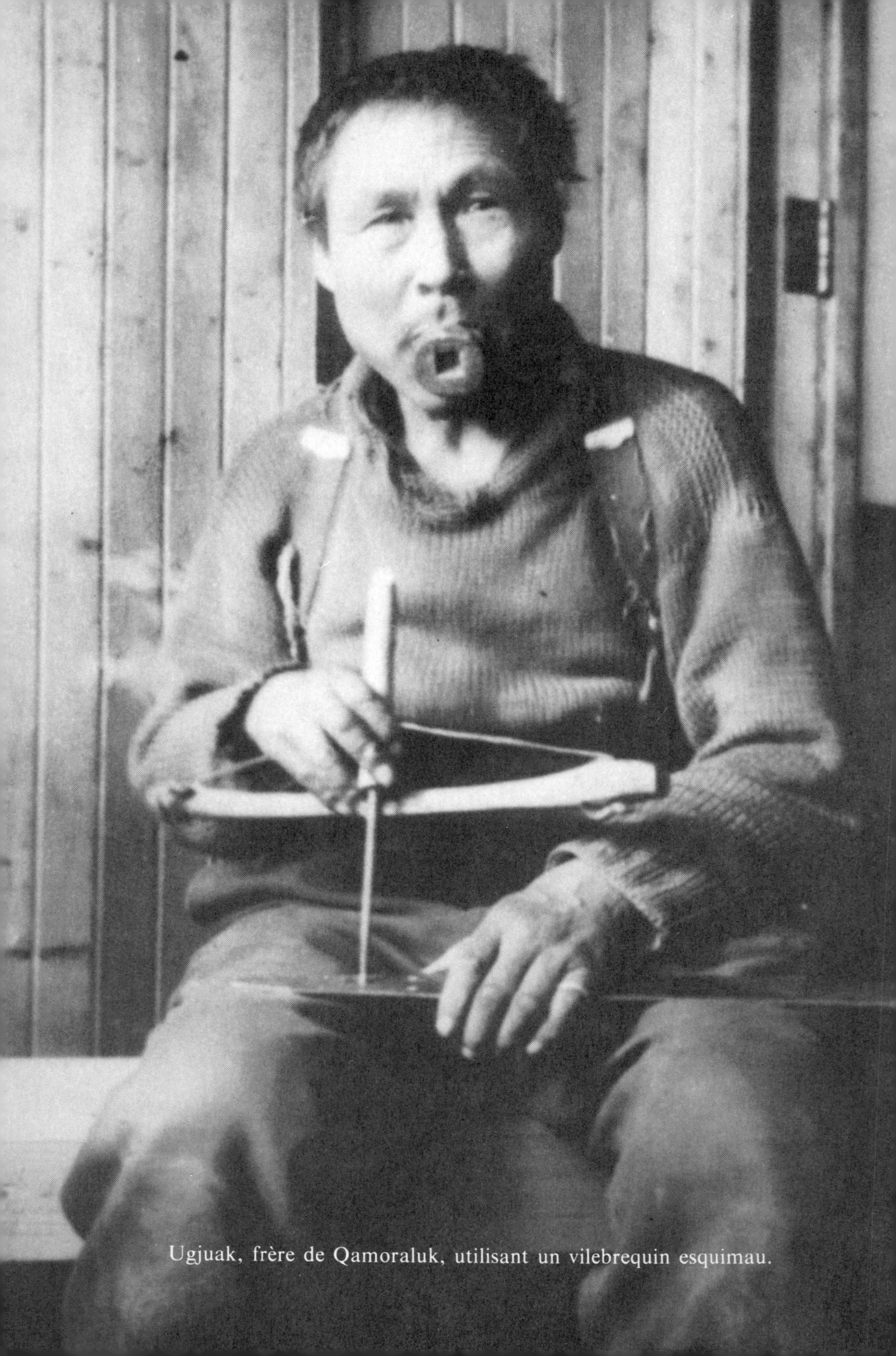

Ugjuak, frère de Qamoraluk, utilisant un vilebrequin esquimau.

compagnon épaula, visa soigneusement et... bang! voilà le Père et le phoque qui disparaissent presque instantanément sous la glace, comme escamotés par quelque diabolique tour de passe-passe... C'est que le Père s'était posté juste sur une fissure de la glace, où l'eau n'était recouverte que d'une couche de neige durcie. En tirant, il avait donné le coup de grâce à la croûte de neige, qui céda sous son poids. Quant au phoque, sain et sauf — mais sans doute mort de rire —, il avait plongé dès que le coup de feu avait retenti. Sans perdre une seconde, Iktokotak courut à la rescousse du malheureux chasseur et l'aida à remonter sur la glace: il avait eu plus de peur que de mal.

Ce sont là des mésaventures inséparables du contexte un peu spécial dans lequel se déroulent les expéditions de chasse dans l'Arctique. Il m'est arrivé aussi, à plusieurs reprises, de tomber à l'eau. L'incident peut paraître banal, mais j'en connais beaucoup qui sont tombés... mais qui ne sont jamais remontés. Bien des facteurs entrent en ligne de compte. Par exemple, un jour j'ai perdu pied et je me suis retrouvé dans l'eau par un froid excessif. Mais, par chance, j'étais vêtu d'habits en peau de caribou, qui sont beaucoup plus imperméables qu'on ne pourrait croire. C'est pourquoi, même si mes vêtements étaient gelés dur, raides comme de la tôle, l'eau n'avait pas atteint ma peau... Sinon, j'aurais été dans un bel état en rentrant! On raconte même qu'une Inuk tombée dans l'eau flotta grâce à ses habits en peau de caribou. Quand on vint à bout de la repêcher, son corps était complètement sec, comme si rien n'était arrivé.

Il est donc très compréhensible que la peau du caribou jouisse d'une belle réputation sous ces latitudes. En fait, l'Inuk sait tirer parti de chaque pouce cube de son caribou: c'est le gibier par excellence, l'animal qui est le plus profitable au chasseur. On a vu ce qu'on pouvait faire de la peau. Quant à la viande — y compris le coeur, les deux estomacs, les tripes et la moëlle des os —, elle est évidemment consommée jusqu'à la dernière parcelle. On récupère aussi les nerfs *(ivaluk)*, qui servent de fil. Les bois *(nagjuk)* sont utilisés pour la fabrication de maints ustensiles et l'on transforme certains os en grattoirs à peaux. Même les sabots, une fois bien bouillis, sont comestibles.

* * *

Toute la vie des Inuit tournant autour de la pêche et de la chasse, il était normal que tous les événements importants soient liés de près ou de loin à ces activités. Ainsi, au cours de mon séjour à Wakeham Bay, soixante-quinze pour cent des hommes qui moururent furent victimes d'accidents de chasse, le plus souvent par noyade, soit en tombant sous la glace, soit en étant renversés avec leur kayak par un gros phoque ou un morse. Mais ils n'avaient pas beaucoup le choix... et la faim poussait souvent le chasseur à prendre des risques qui, parfois, lui étaient fatals. Je parlerai plus loin de l'accident qui survint à mon ami Qamoraluk, et qui aurait facilement pu lui coûter la vie.

J'ai connu, entre autres, un certain Elimasaut, qui était parti à la chasse par un beau jour de printemps... Il avait pris son kayak, car la ligne de démarcation entre l'eau et la glace était toute proche du camp d'Okiivik, à huit milles au sud de Wakeham Bay. Quand vint le soir, il n'était pas rentré. Puis, les jours passèrent: toujours pas d'Elimasaut... Un autre qui avait disparu. Quelques jours plus tard, un autre Inuk, Yopi Ikango, tua un phoque barbu qui avait une tête de harpon sous la peau et la corde du harpon (faite de peau de phoque) enroulée autour du corps. C'était le harpon d'Elimasaut. Dès lors, l'accident était facile à reconstituer. L'Inuk avait dû harponner l'animal, mais sans parvenir à le tuer. Le phoque avait aussitôt plongé. Elimasaut, en voulant le retenir au moyen de la corde du harpon, avait perdu l'équilibre (ça tire fort, un gros phoque barbu!) et son kayak s'était retourné. Ni le corps, ni l'embarcation n'ont jamais été retrouvés.

Quant à ceux qui avaient le courage, ou la témérité, de s'attaquer à l'ours blanc, ou qui se retrouvaient par hasard nez à nez avec lui... ils ne revenaient pas toujours pour raconter leur aventure. Je ne peux faire autrement que de me rappeler l'étonnante aventure survenue à un nommé Anakattak. Celui-ci avait eu le front de tirer sur un ours blanc alors qu'il ne lui restait qu'une cartouche. Cela se passait sur l'île Akpatok. Il avait tiré, puis, la nuit étant presque tombée et son arme étant vide il s'était mis à se poser de drôles de question. Pas moyen de voir s'il avait raté son coup ou non — et surtout, pas question d'y aller voir de plus près! Anakattak fit donc ce que tout homme sensé aurait fait: pour éviter les éventuelles et terribles réactions du fauve blessé, il prit ses jambes à son cou. Au bout d'un moment, il sentit avec l'horreur qu'on imagine qu'il était suivi. Inutile de vouloir distancer l'ours blanc à la course, il le savait. L'Inuk s'étendit donc à terre et fit le mort, complètement immobile et retenant sa respiration. L'ours arriva comme un bolide et s'arrêta près de lui, qui n'en menait pas large. Puis, d'un coup formidable de sa lourde patte, il retourna Anakattak, déchirant la culotte en peau de phoque avec ses griffes pointues. Alors, apparemment satisfait, il se détourna et s'éloigna... au grand soulagement du pauvre chasseur. Il faut bien dire que le cas est assez exceptionnel et que, de toute façon, peu de gens auraient fait preuve, dans les mêmes circonstances, d'un pareil sang-froid.

Il y eut aussi deux Inuit, dont j'oublie les noms, qui crurent bien, un jour, qu'ils étaient en train de faire leur dernière chasse. Imaginez que ces deux gaillards, sans doute emportés par l'ardeur de la chasse, s'étaient mis à la poursuite d'une ourse et de ses deux oursons. Pour la rejoindre, ils franchirent derrière elle une barrière de glace. L'énorme bête, qui protégeait la fuite de ses petits, paraissait fuir elle-même. Mais, brusquement, elle se retourna, fonça sur un des chasseurs, le plaquant au sol et lui labourant les joues et les épaules de ses terribles griffes. Puis, aussi vite, elle se tourna vers l'autre, qui n'eut que le temps de décharger son arme à bout portant, sans même pouvoir viser. Heureusement, la bête fut tuée sur le coup: à tout prendre, ces chasseurs s'en étaient tirés à bon compte...

Notre travail de missionnaires consistait, avant tout, à travailler avec les Inuit, à travailler comme eux pour assurer leur survie et la nôtre. Il est donc compréhensible que nous ayons éprouvé certaines difficultés à nous livrer à des oeuvres de développement social. C'est à peine si nous pouvions, en grugeant sur nos autres activités et même sur nos heures de détente ou de repos, pourvoir au soin des malades et dispenser un peu d'enseignement aux enfants: éléments d'arithmétique et de langue anglaise, en plus de l'enseignement religieux à ceux qui le demandaient.

Nous n'étions surtout pas là pour prendre en charge nos chers Inuit, mais plutôt pour les aider à se débrouiller seuls. Il faut avouer que, malgré ces beaux principes, nous avons parfois trop écouté notre coeur et que nous avons fait pour eux ce que nous aurions dû leur apprendre à faire tout seuls. Quand on se laisse guider par le coeur, on n'agit pas toujours raisonnablement. Cependant, il me semble difficile, sinon impossible, de déterminer où se trouve le juste milieu entre: trop aider et par conséquent mal aider, ou ne pas aider assez...

Les Chinois ont un beau proverbe: "Donne un poisson à un homme, il mangera pendant un jour. Donne-lui un filet, il mangera tant que durera le filet. Mais apprends-lui à faire des filets et il mangera pendant toute sa vie!" Dans le cas des Inuit, le problème était de leur apprendre à mener eux-mêmes l'économie de leur pays. Ce n'était rien de particulièrement facile, que d'amener ces gens à passer graduellement de l'état de prédateurs à celui de producteurs. Car la civilisation du Blanc s'en venait, c'était inévitable... Et c'est d'ailleurs ce qui s'est passé. L'Inuk d'aujourd'hui se voit jeté en pleine société de consommation, confronté avec une façon de vivre qui n'a jamais été la sienne... et, évidemment, il est dérouté. On n'amène pas des gens à franchir, en quelques années, la distance qui sépare l'âge de pierre de la civilisation technologique. En fait, la transition a été trop brusque, et l'Inuk est demeuré, au fond de lui-même, le chasseur, le prédateur qu'il avait toujours été... Et cela donne, comme on peut s'y attendre, une drôle de société. Comme bien des peuples amérindiens, ils perdent peu à peu leurs traditions. Même la maigre hiérarchie d'autrefois, celle qui collait le mieux aux traditions déjà déclinantes à l'époque où je les ai connus, n'est plus qu'un souvenir. Les temps sont révolus, où le meilleur chasseur était le chef du camp. Aujourd'hui, sous l'impulsion du Gouvernement fédéral, on a des Conseils de villages élus. Les Inuit se politisent peu à peu et, comme partout ailleurs dans les sociétés qu'on dit civilisées, ce sont les grandes gueules, ou tout simplement ceux qui savent en imposer, qui prennent le dessus, font les meilleurs profits et deviennent les chefs. Quant à savoir s'il faut s'attrister ou se réjouir de ces transformations, c'est une autre histoire... On ne peut que constater, avec un certain malaise peut-être, que l'accès des peuples "primitifs" à la civilisation des Blancs ne se fait pas sans

"Je me suis enrichi, à leur contact d'une nouvelle perception de la vie et des choses."

une perte de leur identité profonde (dont les derniers vestiges, les derniers signes sensibles survivaient dans leurs traditions).

De toute façon, mon propos n'est pas de critiquer — et encore moins de condamner — qui que ce soit. Le problème est beaucoup trop complexe, ses données trop subtiles pour espérer parvenir à des conclusions justes. Je me contenterai donc de continuer à raconter ce que j'ai essayé de faire pour aider les Inuit. Ces efforts entrecoupés de bévues, d'erreurs commises de bonne foi, serviront peut-être à inspirer d'autres hommes de bonne volonté. Peut-être se pencheront-ils sur les problèmes des autochtones canadiens et prendront-ils des attitudes constructives.

La sorcellerie

La sorcellerie

Au cours des neuf années que j'ai passées à Wakeham Bay, les Inuit n'étaient plus visités par les missionnaires anglicans. A la longue, certains décidèrent donc de devenir catholiques. Pourtant, nous n'avions exercé aucune pression dans ce sens: mon compagnon et moi étions trop convaincus que le choix d'une religion doit absolument procéder d'une démarche naturelle et tout à fait libre. Nous ne tenions pas à les avoir à l'influence.

Lorsque je dus prendre la charge de la mission, en 1940, j'avais déjà gagné la confiance des Inuit. Plusieurs d'entre eux me considéraient comme faisant partie des leurs. Pour renforcer les liens qui nous unissaient, j'imaginai un jour de les distraire... Et je me mis à leur faire, de temps en temps, quelques tours de prestidigitation — car j'avais emporté de France, dans mes bagages, le matériel qui m'avait servi autrefois. Je possédais donc tout ce qu'il fallait pour donner des numéros de prestidigitation ma foi tout à fait présentables... Mais j'avais mal calculé en choisissant précisément cette forme de distraction pour les

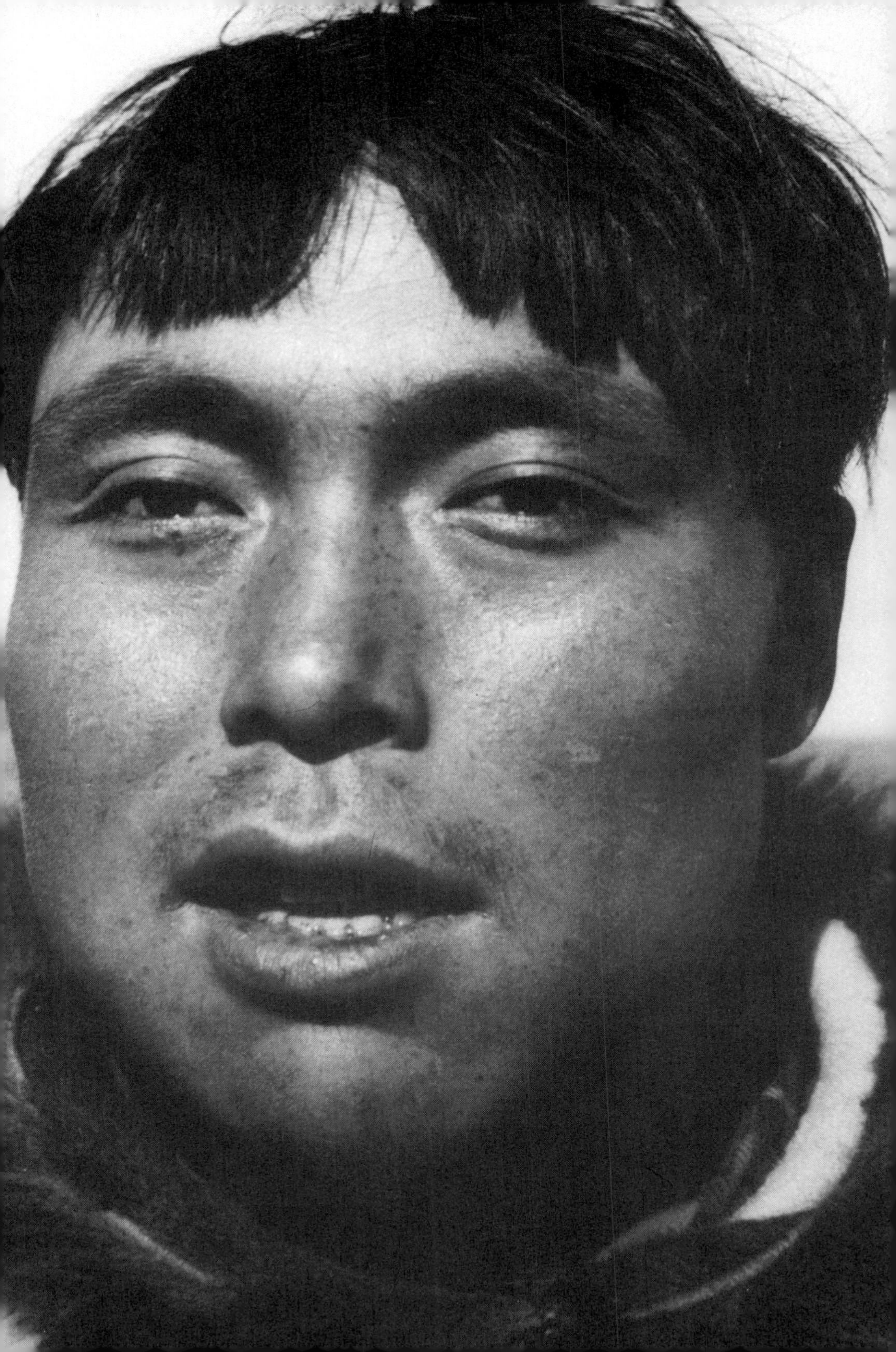

Inuit... Car, en peu de temps, une rumeur se mit à circuler dans les camps: on se disait que les prêtres étaient des sorciers... qu'ils pouvaient, à volonté, faire apparaître ou disparaître des objets! Pour éviter tout malentendu, je m'empressai donc d'expliquer plusieurs tours à mon vieil ami Lucasse, qui riait de tout son coeur en pratiquant cet illusionnisme.

Mais ce n'était pas tout! Le Père Mascaret et moi étions jeunes et pleins de vie. Nous aimions bien nous amuser et, parfois, nous oublions à quel point nos facéties pouvaient impressionner l'âme superstitieuse et naïve de ces Inuit. C'est pourquoi, lorsque se mit à circuler une autre rumeur — venue je ne sais d'où! — voulant que nous, les Pères, ayons des femmes invisibles, nous avons attendu un peu avant de la contredire. Plus précisément, on disait que nos femmes invisibles ne se montraient que la nuit et que nous élevions nos enfants sous terre. Nous ne pouvions guère les blâmer d'être un peu crédules... Mais la chose nous amusa tellement que, le soir, lorsque nous étions couchés, l'un de nous deux s'écriait:

— Voyons, Ernestine, montre-toi!

— Ah! la garce, elle est invisible! répondait immanquablement l'autre.

Mais cela ne pouvait pas durer ainsi: notre crédibilité de missionnaires en aurait pris un coup! C'est pourquoi, un soir, alors qu'il y avait quelques Inuit dans la salle commune de la mission, je vis l'occasion de mettre fin à la petite plaisanterie. Pendant que les hommes fumaient et bavardaient entre eux, Koumak était allé s'asseoir sur ma couchette.

— S'il te plaît, Koumak, lui dis-je le plus sérieusement que je pus, ne t'assois pas là! Personne n'aime qu'on s'assoie sur lui, pas même un chien... Et tu t'assois sur ma femme! Tu vas l'écraser!

Bien sûr, j'avais toutes les peines du monde à réprimer un fou-rire de tous les diables. Koumak s'était levé prestement, comme s'il s'était assis sur une pelote d'épingles.

— Excusez-moi, bredouillait-il. Je ne savais pas... Je ne voulais pas...

Cette fois, c'en était trop. Je laissai partir un tonitruant éclat de rire.

— Ecoute, dis-je enfin, parlant tout de même assez fort pour que tous les Inuit présents dans la pièce puissent entendre, je vais te dire quelque chose. Quand j'étais jeune, j'ai connu beaucoup de jolies filles. Mais, quand j'ai décidé d'entrer au service de Dieu, j'ai promis de n'en épouser aucune... D'ailleurs, si je voulais me marier, je ne crois pas qu'une femme invisible ferait mon affaire... J'en aurais choisi une bien visible, en chair et en os!

La scène se termina avec un bon éclat de rire — hilarité qui ne manquait pas de s'emparer des Inuit chaque fois que quelqu'un faisait allusion, par la suite, à l'histoire de la femme fantôme...

* * *

Comme je l'ai dit plus haut, j'étais jeune et je brûlais du désir de bien faire. Mais mon manque d'expérience me jouait parfois des tours. Déjà, j'avais failli passer pour un grand sorcier, puis pour le mari d'une femme fantôme... Comme si cela n'avait pas été suffisant, j'allais encore une fois passer bien près de me mettre les pieds dans les plats. Imaginez que, dans mon zèle, dans mon désir — bien naturel — de me rapprocher davantage des Inuit, j'avais inventé quelque chose qui, j'en était persuadé, ne pouvait pas manquer de leur plaire.

L'idée m'était venue comme ça, d'elle-même, comme une génération spontanée. Bien sûr, j'avais souvent eu l'occasion d'entendre les chants traditionnels des Inuit, ces espèces de chansons de geste modulées sur quelques notes — un peu à la façon de certaines musiques asiatiques — qui parlent de la vie dure des Inuit, de chasse et de pêche, de tous les éléments de leur folklore dont une bonne partie survivait encore à l'époque où je les ai connus. Mais de là à me laisser séduire par l'idée d'en composer un moi-même, il y avait une marge! C'est pourtant bien ce que je décidai: cela allait sûrement les étonner, pensais-je... Je ne pouvais imaginer à quel point j'avais raison!

Le point de départ de mon chant était tout trouvé: l'été précédent, j'étais allé à la pêche avec le Père Mascaret et quelques Inuit et nous étions rentrés bredouilles. Il n'en fallait pas plus; je tenais là un sujet parfait... Je m'attelai donc à la tâche de composer sur cette aventure un chant semblable à ceux de leur folklore. J'y travaillais ferme, car j'avais l'intention de le chanter à la veillée de Noël, qui approchait. Mon travail de composition, en fin de compte, fut beaucoup moins pénible que je ne l'avais craint de prime abord. En effet, à l'époque je parlais déjà assez bien l'esquimau — ce dont très peu de Blancs étaient capables: cela me donnait un avantage certain.

Je mis beaucoup de soin à ce travail que je jugeais des plus importants. Je travaillai, je ciselai finement chaque vers et chaque strophe de la chanson. Puis j'attendis patiemment l'occasion de la présenter. Voici ce que cela donnait:

Voulant marcher, ayi aya ayi aya
voulant marcher, ayi ayi aya
voulant attraper du poisson, ayi aya
vers le lac je me mis à marcher, ayi ayi aya
parce que j'avais faim, ayi aya
vers la rivière qu'on enjambe, ayi aya ayi aya

et donc en arrivant, ayi aya
je ne vis que de tout petits poissons, ayi ayi aya
quel ennui, ayi aya, car j'avais faim, ayi ayi aya
ah! j'en avais trop voulu, ayi aya
quel ennui! ces gros poissons, ayi aya, disparus, aya...

levant la tête, ayi aya
vers une falaise, ayi ayi aya
je vis en haut des oeufs à prendre, ayi aya
un faucon en haut le voilà, ayi ayi aya
quel ennui, ayi aya — un seul oeuf
je ne peux l'atteindre, ayi ayi aya

tant pis! à la maison, ayi aya
que je m'en retourne tout simplement, ayi aya
ayi ayi aya ayi aya aaa...

Chez les Inuit, les nouvelles vont vite. Quelques jours plus tard, un Inuk qui m'avait entendu alors que je répétais mon chant s'en alla le dire à tout le monde... et ce fut le début d'une nouvelle rumeur. Cette fois, on disait que j'avais composé un chant de chasse, un chant comme seuls les très vieux sorciers osaient en composer. On disait que, lorsque je chanterais cela à Noël, je leur découvrirais toute l'étendue de mes pouvoirs magiques, apparaissant habillé pour une partie de pêche et me mettant à rapetisser à mesure que je chanterais... Je deviendrais de plus en plus petit, jusqu'à atteindre la taille d'un gnome. Alors, je danserais sur la table, puis disparaîtrais complètement pour aller rejoindre, sans doute, les vieux bardes esquimaux morts depuis tant de génération... Enfin, je réapparaîtrais sur la table et reprendrais ma taille normale...

Avouez que c'était un peu fort. Mais je prenais cela avec un grain de sel. Qu'arrive Noël, et on verrait bien! Il faudrait bien qu'un jour ou l'autre je prenne de front ces relents de superstition. Bien sûr, on ne croyait plus autant qu'autrefois aux pouvoirs magiques des sorciers... Mais il en restait quelque chose; l'Inuk était toujours sur la corde raide: y croire ou ne pas y croire... Ils avaient beau faire — et nous, les missionnaires, nous avions beau dire —, un fond de superstition, une inclination presque atavique à croire aux mythes qui avaient épouvanté ou séduit leurs ancêtres, une espèce de vulnérabilité de l'âme leur restait. On aurait dit que cela les prenait par bouffées.

Pourtant, il n'y avait plus de sorciers — du moins, je n'en ai jamais connu. Mais leur souvenir vivait encore. Un Inuk nommé Ugjuak se souvenait très bien de son père, qui avait été un des derniers sorciers esquimaux. Ce sorcier s'appelait Pilortuut, et il semble que c'était un véritable chaman *(angakko)*. Ugjuak m'a raconté que, lors de ses séances de sorcellerie, son père se transperçait le corps de part en part avec un harpon... Le sorcier récitait des incantations, puis il se transperçait... Ugjuak avouait que jamais personne n'avait réellement vu son père se passer le harpon au travers du corps. On ne voyait que la tête du harpon qui dépassait à l'extérieur de son habit légèrement rougi

"Un fond de superstition, une espèce de vulnérabilité de l'âme leur restait."

de... sang! Quoi qu'il en soit, le sorcier réussissait son truc et les Inuit le croyaient. Il était censé être en relation avec le Torngak, le mauvais Esprit. Il savait l'apaiser au moyen d'amulettes, par des offrandes de peaux de bêtes — et certaines pratiques tabou... Quant au bon Esprit, on ne s'en occupait pas, puisqu'il ne causait aucun problème...

Noël finit tout de même par arriver. Comme toujours, tous les Inuit des alentours s'étaient rassemblés autour de la mission à l'occasion de la fête. Il y avait un nombre impressionnant d'enfants aux joues rondes, pleins de joie et d'insouciance comme tous les enfants du monde. Tout le monde était venu, jusqu'aux vieillards au sang glacé, dont les rares poils de barbe grise et les yeux aux paupières ridées reflétaient tous ces hivers à travers lesquels ils avaient passé. On pouvait voir de vieilles femmes ratatinées, que de longues années de pesant labeur avaient endurcies — mais qui gardaient un goût très vif de la vie et un penchant invincible pour le papotage. Et, bien sûr, les jeunes hommes et les jeunes femmes étaient venus en grand nombre, gais et expansifs, ne songeant apparemment ni au passé ni à l'avenir — mais toujours prêts à saisir l'instant qui passe et à glaner le plus de plaisir possible. C'était eux, les gens qui venaient assister à notre messe de minuit et passer le réveillon avec nous. Chaque iglou du petit camp, proche de la mission, logeait des amis et des parents venus pour assister à la grande fête — on avait même construit des iglous supplémentaires pour abriter tous les hôtes qui ne pouvaient se caser nulle part.

Chaque année, c'était à peu près la même chose. Tous venaient danser, jouer et, surtout, participer au festin traditionnel offert à l'occasion de Noël par la mission et la Compagnie de la Baie d'Hudson. Le festin en question se composait presqu'infailliblement de haricots cuits au four, de thé et de biscuits secs. Ils en faisaient leurs délices. Ils venaient pour tout cela, bien sûr — mais, en même temps, tous étaient conscients du fait que l'on célébrait, ce soir-là, la naissance du Christ.

Un à un ou en petits groupes, les Inuit se dirigèrent tranquillement vers la mission. Bientôt, la grande salle commune fut pleine. Patients et calmes, ils attendaient, en parlant et en riant, que la fête commence. Ils surveillaient du coin de l'oeil la porte par laquelle j'avais coutume d'apparaître en compagnie du Père Mascaret.

Après leur avoir souhaité la bienvenue selon l'usage, je déclarai que nous allions commencer, sans plus tarder, le jeu que tous attendaient et qui consistait à ramasser du tabac. C'est-à-dire que je traçais un grand cercle à la craie sur le plancher, puis j'étendais en son centre une bonne couche de tabac de marque Alouette. Alors, les hommes s'asseyaient autour de ce cercle, jambes étendues, les talons touchant la circonférence. Au cri de départ — *Attai!* —, tous ces corps s'entassaient, se bousculaient, empilés en une masse ondulante, chacun roulant par terre et se tordant de rire. C'était à celui qui ramasserait le plus de tabac. Après les hommes, c'était le tour des femmes, puis des vieux et, enfin, des vieilles. C'était une véritable explosion de joie et de rires, ça ne ratait jamais.

Lorsque le jeu fut terminé, je sortis mon accordéon. Jouant le vieil air: "There is an old spinning wheel", je me mis à faire le tour de la salle, avançant en dansant, au ryth-

me de ma propre musique. Comme d'habitude, ce ne fut pas long que les Inuit me suivirent en file indienne, chacun tenant celui qui le précédait par le dos de son anorak. Bientôt, tout le monde suivait le musicien. Cela faisait une sorte de long serpent, que je conduisis d'abord dans la salle, puis dehors, dans la nuit piquante — étrange serpentin ondulant sur la neige, s'étirant autour de la baraque jusqu'au moment où tous, hommes, femmes et enfants en âge de marcher aient pris place dans la file... Puis, actionnant toujours mon soufflet à musique, je guidai tout ce monde vers l'intérieur. Rafraîchis par les bouffées d'air sec et pur que nous avions respirées dehors, nous étions tout regaillardis et prêts à continuer de plus belle.

Vinrent alors les quadrilles. Je m'assis dans un coin de la salle et commençai à leur jouer une gigue endiablée. Hommes et femmes se balançaient, pivotaient, frappaient du pied, tout cela avec une cadence parfaite, en suivant exactement le rythme de l'accordéon. Je les fis danser ainsi un bon bout de temps... Puis, je me levai et allai me placer au centre de la salle: le grand moment était arrivé.

Les Inuit savaient très bien ce qui allait se passer. Au fond, pas un instant ils n'avaient vraiment oublié ce que j'avais l'intention de faire — peut-être avaient-ils tout simplement espéré que, le moment venu, je changerais d'idée... Tout de suite, je m'aperçus que l'atmosphère avait changé. Plus personne ne riait. Ils étaient tous là, collés le long des murs, me regardant fixement, pétrifiés par quelque chose qui devait être de la peur — ou, peut-être, simplement de l'attente. De toute façon, il n'était plus temps de reculer. D'une voix rauque, imitant les accents des chanteurs que j'avais déjà entendus, j'entonnai mon chant de pêcheur. Vers après vers, strophe après strophe, mon poème se

déroulait, racontait son histoire de voyage, de pêche manquée et de vie cruelle...

Evidemment, une fois mon chant terminé, rien de ce qu'ils craignaient n'arriva. Voyant bien que je ne rapetissais ni ne disparaissais, ils parurent se détendre. Les sourires revinrent assez rapidement et l'on se mit à parler des fameuses rumeurs... Ce fut un éclat de rire général; tout le monde était rassuré. Puis, la messe de minuit acheva d'apaiser les esprits. Les Inuit, simplement, sainement, assistaient à la cérémonie avec le même naturel que s'ils avaient été chez eux, dans leur iglou, les femmes allaitant leurs bébés ou les faisant se soulager dans une vieille boîte de conserve apportée à cet effet... C'était tout bonnement savoureux et attendrissant... Un de ces moments privilégiés où je pouvais voir sans effort l'âme belle et simple qu'avaient encore ces chers Inuit.

La conversion de Terqingerq

Terqingerq

Même si nous avions bien compris que notre rôle de missionnaires consistait avant tout à aider les Inuit et à nous dévouer corps et âme pour eux, nous étions toujours heureux d'accueillir et de diriger tous ceux qui manifestaient le désir de se rapprocher de Dieu. Comme je l'ai dit plus haut, nous ne forçions la main de personne: chacun était libre en face de lui-même, en position de faire lucidement son choix. Nous ne leur rebattions pas les oreilles à grands coups de sermons et d'exhortations: quand un Inuk se prenait d'intérêt pour notre religion, cela se faisait pour ainsi dire tout seul, la seule influence que nous ayons exercée se limitant à l'exemple que nous essayions de leur donner dans notre vie quotidienne.

Un cas assez typique — et surtout très touchant — de la façon souvent originale dont les Inuit se rapprochaient de la religion est celui de Terqingerq. J'avais fait la connaissance de cette jeune Inuk peu après mon arrivée à Wakeham Bay. C'était à l'époque où je commençais à peine à balbutier mes premiers mots dans la langue des Inuit...

Un matin, le Père Fafard et moi étions en train de réciter nos prières, lorsqu'une Inuk entra en coup de vent. D'abord, elle ne dit rien. Elle se contenta de rester là, à l'arrière de la chapelle, attendant que nous ayons terminé... Puis, comme nous sortions, elle nous tendit une lettre fort bien écrite en esquimau syllabique. Le Père Fafard s'en empara, l'ouvrit et lut: "Je suis malade et je souffre beaucoup. Venez à mon iglou parce que je voudrais discuter de religion. Très respectueusement. Terquingerq."

Le Père Fafard se tourna brièvement vers moi et me regarda un instant, les sourcils levés, comme s'il était en proie à une certaine perplexité. Puis, se rapprochant de Tirreganiak qui attendait la réponse, il lui dit:

— Tu peux dire à Terqingerq que nous irons la voir cet après-midi.

Lorsque nous sommes arrivés à l'iglou de Terqingerq, le soir commençait à tomber. Je suivis mon compagnon dans l'étroite ouverture, puis dans le long passage où les chiens étaient nourris et se retiraient pour s'abriter des tempêtes. Il fallait marcher courbé en deux, et c'est ainsi que nous sommes parvenus, presque en rampant, devant la porte minuscule qui donnait accès à l'iglou proprement dit. En entrant sur les talons de mon compagnon, je crus m'apercevoir que la puanteur habituelle des iglous était plus forte que de coutume — peut-être parce qu'il y avait moins de monde. A l'autre bout de l'iglou étais assise une vieille femme qui regardait distraitement la flamme vacillante de la lampe de pierre *(qudlerq)* remplie d'huile de phoque. C'était Aopaluk, la mère de Terqingerq. Elle ne paraissait pas avoir conscience de se qui se passait autour d'elle, comme perdue dans des pensées où nous n'avions pas à intervenir. Un peu plus loin, Terqingerq était couchée, enroulée dans une vieille couverture grise.

— Merci d'être venu, dit-elle au Père Fafard. Je souffre tant...

— Qu'est-ce que tu as? s'enquit mon compagnon. Puis-je faire quelque chose pour toi?

— Oui, dit-elle. Approche-toi, et je te le dirai.

De la main, elle lui faisait signe d'approcher. Le Père Fafard marcha lentement jusqu'au fond de l'iglou, puis se pencha vers elle pour écouter. Je vis Terqingerq chuchoter quelques mots à son oreille... Mais, soudain, coupant raide les confidences de la jeune femme, mon compagnon se redressa.

— Allons-nous en, me dit-il sans me regarder, s'engageant déjà dans le passage vers l'extérieur.

Comme nous étions en route vers la mission, je questionnai le Père Fafard. J'étais curieux de savoir ce qui s'était passé, pourquoi nous étions partis en quatrième vitesse sans prendre le temps de saluer personne...

— Vous n'avez rien remarqué? me demanda-t-il avec un demi-sourire.

— Bien... J'ai remarqué qu'elle vous disait quelque chose à l'oreille... C'est tout.

— Eh bien! fit mon copagnon avec bonne humeur, imaginez-vous que Terqingerq se cherche un mari... En un mot, elle m'a fait des propositions!

Nous avons éclaté de rire. Nous marchions vers la mission et mon compagnon secouait doucement la tête.

— Sacrée Terqingerq, murmura-t-il en me regardant. Elle n'en fera jamais d'autres!

Nous trouvions l'aventure amusante; nous pensions que c'en resterait là...

Quelques jours plus tard, l'affaire rebondit de façon assez inusitée. C'était un dimanche matin. Le plein soleil tombait par les fenêtres et inondait le plancher de la chapelle de taches jaunes. Le Père Fafard était installé au petit harmonium, tandis que je revêtais les ornements pour dire la grand-messe. Léo Manning, le gérant de la Compagnie de la Baie d'Hudson, était agenouillé sur la marche de l'autel, prêt à faire office de servant de messe. Au fond de la salle, s'étaient groupés quelques Inuit — parmi lesquels se trouvait Terqingerq.

L'harmonium fit entendre sa voix aigrelette, et la cérémonie commença. Après l'évangile, j'allai m'asseoir sur une chaise près de l'autel, tandis que mon compagnon s'approchait pour prononcer une petite homélie en esquimau — ce dont j'étais évidemment incapable à l'époque. A la fin du sermon, je vis soudain Terqingerq s'avancer et marcher d'un pas décidé jusqu'à la plateforme de l'autel. Puis, tombant à genoux devant le Père Fafard, elle se prosterna devant lui, saisit sa soutane et s'écria d'un ton gémissant:

— O Jésus, Jésus; je t'aime, ô Jésus!

Elle tremblait des pieds à la tête, apparemment en proie à une très vive émotion. La scène, au fond, était d'un comique à peu près irrésistible. J'avais toutes les peines du monde à contenir un immense éclat de rire — qui, dans les circonstances, aurait été pour le moins intempestif! Mon compagnon essayait de la repousser doucement; mais rien à faire, elle ne cédait pas d'un pouce. Au bout d'un moment, elle attrapa les pieds du Père et se mit à embrasser ses souliers, comme plongée dans une profonde extase.

— Jésus! O Jésus, murmurait-elle toujours.

La chapelle de Wakeham Bay, 1946.

— Retourne à ta place, lui dit calmement mon compagnon. Va t'asseoir avec les autres.

Comme si cela avait été tout naturel, Terqingerq se releva et marcha vers le fond de la chapelle.

Les dimanches après-midi, beaucoup d'Inuit venaient faire un tour à la mission, flânant, fumant et discutant dans la salle commune. Ce dimanche-là, bien sûr, Terqingerq était parmi eux. Après avoir rôdé quelques minutes, elle finit par s'approcher de mon compagnon.

— Je veux te parler, lui dit-elle.

— Eh bien, parle, répondit-il d'un air amusé.

— Non... Seul à seul, fit la jeune femme en désignant du geste la porte de nos quartiers privés.

Je ne sais pas si elle s'imaginait vraiment que le Père Fafard se rendrait à sa demande... Celui-ci, fronçant un peu les sourcils, lui dit:

— Pourquoi? Parle donc ici, et tout de suite.

— J'ai besoin de sucre, fit-elle après un instant d'hésitation. Je voudrais du sucre...

Puis, comme le Père la regardait sans mot dire, les sourcils de plus en plus froncés, elle insista...

— Père, de grâce, donne-moi du sucre!

Il est facile de comprendre que mon compagnon se soit méfié. Après tous les embêtements qu'elle lui avait causés, il flairait quelque piège.

— Ma chère Terqingerq, dit-il fermement, je ne te donnerai pas de sucre aujourd'hui. Reviens une autre fois.

Sans plus insister, elle se détourna sèchement et sortit, l'air vexé, marmonnant des choses entre ses dents. Rien qu'à la voir, nous nous doutions bien qu'elle n'avait pas du tout envie de laisser tomber l'affaire...

En effet, dès le lendemain, Terqingerq se mit à faire le tour des iglous, disant à tous les Inuit de se méfier de ces hommes habillés de robes noires, parce qu'ils étaient des hypocrites, qu'ils n'étaient pas bons, etc. Mais c'était dépenser ses efforts pour rien. Les Inuit la connaissaient bien; ils accueillirent ses propos avec un grain de sel.

Mais elle était entêtée, cette Terqingerq! Le dimanche suivant, elle partit avec plusieurs trappes à renards dans ses mains. Elle se mit à se promener autour de la mission en les faisant cliqueter le plus fort possible, les frappant les unes contre les autres comme pour nous narguer. Son petit manège sautait aux yeux. Nous avions conseillé aux Inuit de ne pas travailler le dimanche, lorsque la semaine avait été bonne pour la chasse et la trappe... Or, Terquingerq s'ingéniait à nous lancer un défi. Que pouvions-nous faire d'autre que de sourire?

* * *

Deux ans plus tard, alors que j'étais en charge de la mission de Wakeham Bay — le Père Fafard étant parti diriger la mission du Cap Dorset —, Terqingerq se manifesta de nouveau. Comme la première fois, une Inuk m'attendait à la sortie de la chapelle où je venais de célébrer la messe. Elle me remit une lettre et, sans attendre de réponse, sortit et se dirigea vers les tentes du camp. C'était de Terqingerq, qui était de nouveau malade et m'appelait auprès d'elle.

"Mon grand Père, disait la lettre, je veux être changée par le bon esprit. Je désire être baptisée et suivre le Seigneur. J'envie ce que sainte Thérèse a pratiqué. Je veux être changée par de vrais ministres de Dieu, parce que je ne suis pas bonne. Je suis Terqingerq et tu es le prêcheur de la vérité."

Il y avait de quoi être perplexe. Me rappelant les embêtements que nous avions eus avec Terqingerq et les moyens auxquels elle avait recouru, je me demandais ce qu'elle pouvait bien avoir derrière la tête. Voulait-elle encore du sucre, ou bien avait-elle vraiment le désir de changer de vie et d'embrasser la foi chrétienne? J'avais peine à croire à la sincérité de Terqingerq. Bien sûr, depuis Noël, elle s'était mise à assister, avec d'autres Inuit, aux cérémonies liturgiques. J'avais l'impression qu'elle simulait un vague intérêt — pas plus. Je ne savais absolument pas quelle attitude adopter. Je rentrai dans la chapelle pour implorer la Lumière... Puis je me rappelai la parole du Christ: "Je ne suis pas venu pour les gens bien portants, mais pour les malades."

Je sortis donc pour me rendre à la tente de Terquingerq. C'était l'été, le court été arctique où des poussées de chaleur, la mousse verte sur les pentes exposées au soleil, les nuées de moustiques font oublier l'épouvantable hiver. Je marchai jusqu'à la tente de Terquingerq en essayant de me recueillir. J'ouvris la porte et, sans même entrer, je lui dis d'un ton sec:

— M'appelles-tu pour me faire des propositions, comme tu l'as fait avec mon ancien compagnon? Comment veux-tu que je te croie, après tout ce que tu as fait?

— Père, mon père, gémit-elle d'une toute petite voix.

Le ton de sa voix ne pouvait me tromper: elle n'avait pas envie de plaisanter. J'entrai dans la tente en me baissant sous la portière de toile. Terqingerq était couchée au fond de la tente, comme la première fois, enroulée dans sa couverture grise. Mais, cette fois, elle avait le visage amaigri; ses traits étaient tirés, on pouvait tout de suite comprendre qu'elle était gravement malade.

— Merci d'être venu, dit-elle en me tendant la main. Je vous l'ai dit dans ma lettre: je veux suivre votre religion. N'as-tu pas compris?

— Oui, j'ai bien compris ta lettre, répondis-je doucement. Mais je me demande ce que tu veux vraiment... Dis-le-moi franchement, ou bien je m'en vais. Je n'ai pas envie de badiner avec la religion...

— Je dis la vérité, fit-elle en m'interromptant d'un geste de la main. Tout ce que je dis est vrai. Je veux que tu m'apprennes qui est Jésus. Je veux faire comme sainte Thérèse... Je sais que tu as de la difficulté à me croire, ajouta-t-elle précipitamment, avant que je puisse répondre. C'est difficile pour toi parce que j'ai été très mauvaise. Je me suis moqué de ton prédécesseur et du Christ. Mais, aujourd'hui, je suis sincère. Ecoute-moi...

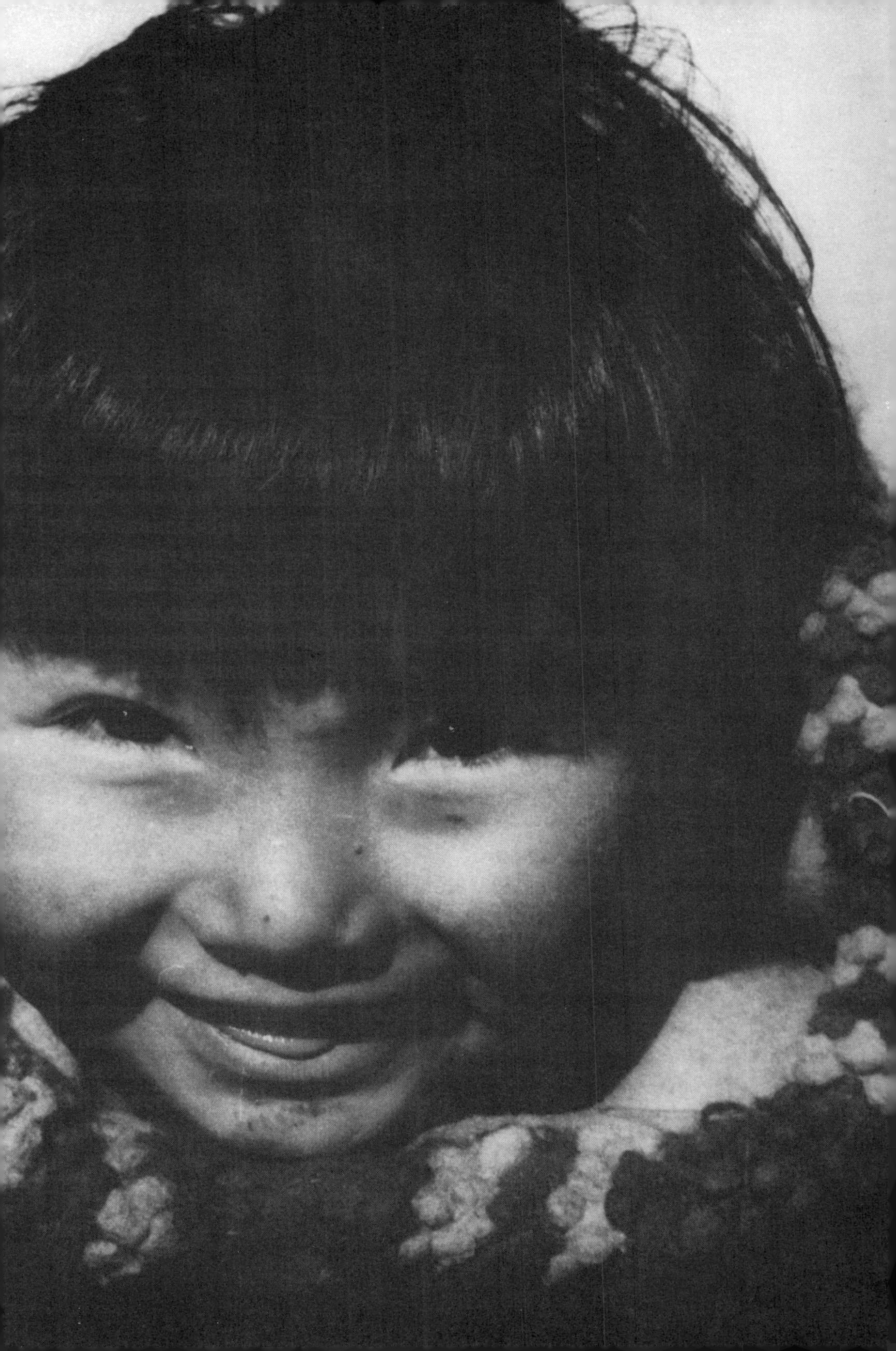

Terqingerq, les yeux mi-clos, s'accusait de toutes ses fautes. Elle pleurait doucement, réprimant à grand-peine les gros sanglots qui lui remontaient dans la gorge.

— Mais oui, tu seras pardonnée, dis-je, touché plus que je ne voulais le laisser paraître. Il suffit de vouloir, et Dieu te pardonnera... Suis mes conseils et, quand tu seras prête, je te baptiserai.

Quelque temps plus tard, je tenais parole et la baptisais. Elle était extraordinairement heureuse. Ce n'était plus la jeune femme avec qui nous avions eu des problèmes deux ans plus tôt. En fait, physiquement, ce n'était plus que l'ombre de Terqingerq. Quand j'allais la visiter dans sa tente, je la trouvais presque toujours couchée.

— Mes forces s'en vont, disait-elle. Je vais bientôt mourir.

Et de semaine en semaine — puis, après un certain temps, de jour en jour — elle commença à décliner. Déjà, elle n'était même plus ce que j'avais appelé l'ombre d'elle-même. A présent, elle était chrétienne. Elle s'accrochait à sa foi toute neuve avec une ardeur exceptionnelle. Elle se regardait mourir avec beaucoup de lucidité, avec, même, un certain détachement qui n'était peut-être pas tout entier le fruit de sa foi nouvelle. Car les Inuit considéraient — et considèrent encore — la mort comme un phénomène inévitable. Avec beaucoup de fatalisme, ils disent: *ayornamat* (on n'y peut rien), préférant visiblement s'occuper de leur vie plutôt que de perdre du temps à trembler devant leur mort. Il m'a souvent semblé qu'ils croyaient, jusqu'à un certain point, à leur survivance dans leurs descendants humains. A quel degré y croyaient-ils, c'est bien difficile à dire: eux-mêmes auraient sans doute été bien embêtés de le préciser. Cela remontait si loin avant eux, c'était tellement flou à présent, qu'il ne leur restait plus que des lambeaux de la foi de leurs ancêtres. Leur tradition exclusivement orale avait perdu bien des fragments de leur passé. De toute façon, ces résidus de croyance sont bien oubliés, maintenant que tous ces Inuit croient au salut tel que les religions chrétiennes le définissent.

Quant vint la fin, Terqingerq paraissait très heureuse. Elle était à ce moment trop faible pour bouger. Elle ne pouvait plus que sourire, ou tourner vers nous des yeux qui semblaient déjà voir autre chose. Un peu avant sa mort, quelqu'un avait voulu lui faire une plaisanterie — qui n'était pas très reluisante! Cette personne avait versé, dans le thé qu'elle allait servir à Terqingerq, les dernières gouttes d'urine contenues dans une vieille boîte de conserve... Sans doute question de voir la tête qu'elle ferait!... Terqingerq avait avalé une bonne partie du breuvage fumant... Lampée par lampée, elle avait bu à même le bol qu'on soutenait pour elle... Puis, comme elle trouvait la boisson un peu amère, on lui apprit qu'elle venait de boire de l'urine. Sans se démonter, elle répondit:

— Le Père nous a dit que le Christ avait bu du fiel avant de mourir... Je pense que l'urine est moins amère...

Je me demande qui oserait encore traiter de "sauvages" des êtres capables d'une telle grandeur d'âme! Elle mourut avec tant de calme, si chrétiennement, que d'autres Inuit furent frappés de cet exemple. Beaucoup voulurent suivre la même voie que Terqingerq et demandèrent le baptême. Dès que le temps le permit, on descendit son corps dans la terre glacée. Je fabriquai de mes mains la croix de bois qu'on allait planter sur sa tombe. J'y avais inscrit le nom qu'elle portait depuis son baptême, en l'honneur de sa sainte préférée: Thérèse...

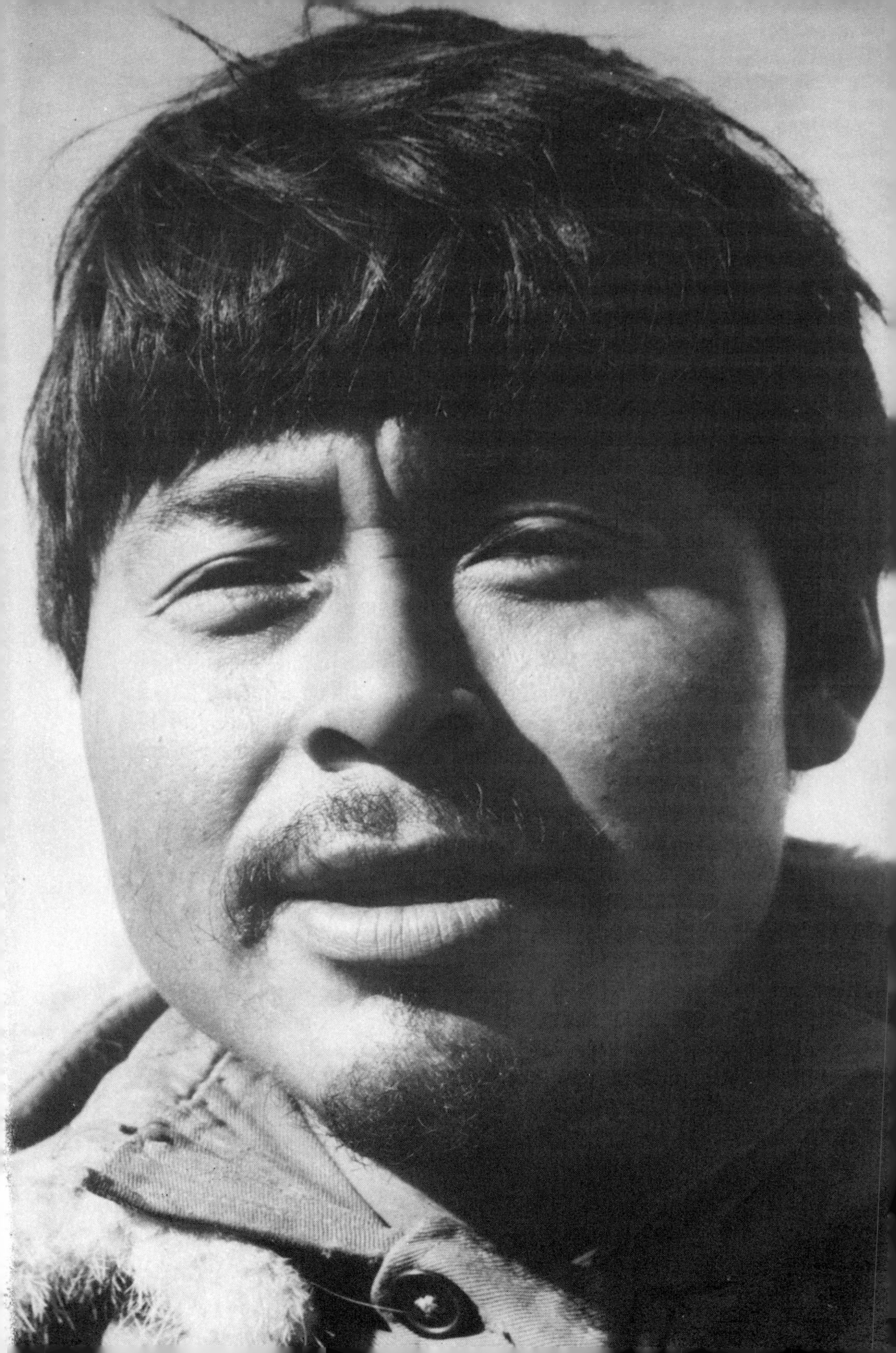

Qamoraluk en colère

Qamoraluk

Vers le début, quand j'étais encore nouveau dans l'Arctique, il m'arrivait souvent de faire de petits séjours dans des camps esquimaux. J'ai déjà dit pourquoi: une langue ne s'apprend pas vraiment dans les livres et on ne connaît bien les gens que chez eux. Au fond, la méthode avait du bon et, en soi, je trouvais toujours l'expérience passionnante. Je gardai donc l'habitude de séjourner assez régulièrement dans les camps de mes amis esquimaux. Certains de ces séjours — la plupart, en fait — étaient sans histoire. On m'acceptait avec la plus grande gentillesse, on me traitait comme un véritable membre de la famille, et je repartais le coeur enrichi de cette nouvelle prise de contact — car c'était toujours nouveau, même si tout se passait aussi simplement que je viens de le dire. Mais, évidemment, tous les Inuit n'ont pas le même caractère; certaines personnalités, plus fortes, émergent de la masse, comme dans n'importe quelle société. Lorsque je séjournais dans le camp de ces individus, c'était différent... et, parfois, cela allait même jusqu'à faire des étincelles!

En écrivant cela, c'est à Qamoraluk que je pense. Nous avions beaucoup d'amitié l'un pour l'autre et j'aimais bien, de temps à autre, aller passer quelques jours dans son camp. Bien souvent, nos personnalités entraient alors en conflit, se heurtaient presque de front, de sorte qu'il se fâchait et entrait dans des colères mémorables. Que voulez-vous, il était fait comme ça. C'était un très bon chasseur et il le savait — mais il ne pouvait supporter la contradiction... Aujourd'hui, Qamoraluk est décédé. Mais il a eu, au cours de sa vie, tout le temps de me faire vivre des moments pas toujours très agréables...

Le premier incident pénible survint un printemps. Je séjournais à son camp et demeurais dans sa tente, avec les siens. Tout allait bien et j'imaginais que j'étais encore en train de vivre une expérience sans problème, qui irait rejoindre les autres dans l'espèce de mémoire collective que j'en conservais — tous ces séjours se ressemblant plus ou moins. Mais, un jour, Qamoraluk partit à la chasse sans accepter que je l'accompagne. Son refus ne m'offensait pas le moins du monde. Sa décision était tout à fait logique; il m'avait expliqué, directement comme toujours, que la glace était dangereuse en ce moment et qu'il craignait que, par mon inexpérience, je ne sois un obstacle à ses activités de chasseur. Je n'avais rien à objecter; je restai donc au camp avec sa famille.

Au cours de l'après-midi, la femme de Qamoraluk, son vieux beau-frère et quelques anciens m'offrirent de faire une partie de cartes avec eux. Les enjeux consistant en allumettes, on ne risquait guère de se ruiner; tout ce qu'on pouvait gagner ou perdre en une demi-journée était une poignée d'allumettes! J'acceptai donc de bon coeur. On me fit asseoir à côté de Qasilinak, la femme de Qamoraluk; les autres étaient assis au hasard autour de la vieille caisse de

Qamoraluk et Qasilinak.

bois qui nous servait de table. L'un était installé sur une petite caisse, un autre sur un tas de vieilles peaux de phoques, d'autres étaient tout simplement assis à même le sol. Puis le jeu commença... Les Inuit avaient inventé leurs propres jeux de cartes *(iqequ, makitak,* etc.), que j'avais appris, nécessairement, en même temps que tout le reste. Je n'avais donc aucun mal à tenir ma place autour de la table... Et c'est ainsi que nous avons joué tout l'après-midi, jusqu'au moment où Qamoraluk rentra de la chasse. Il rapportait je ne me souviens plus combien de phoques — c'était vraiment un excellent chasseur —, de sorte qu'il aurait dû se montrer ravi de sa journée. Pourtant, dès qu'il eut mis le pied dans la tente, il manifesta une mauvaise humeur de tous les diables. Je connaissais assez l'âme esquimaude pour deviner la colère qui couvait sous le masque apparemment calme de Qamoraluk.

Ce ne fut que le soir que j'appris — et indirectement encore! — que c'était moi, l'objet de cette humeur massacrante. Et cela, pour la simple raison que j'étais assis à côté de sa femme! J'avoue que je sursautai: j'étais assis à côté de sa femme? De tout l'après-midi, je n'y avais même pas pensé; je n'avais pas porté attention à ce détail pour moi sans importance. Bah! me disais-je, après tout, ce n'était qu'une manifestation de jalousie bien compréhensible chez un homme doué du caractère bouillant de Qamoraluk.

Je croyais que l'incident était clos et que je n'en entendrais plus parler... Mais, le soir même, comme je m'apprêtais à me glisser dans mon sac de couchage, Qamoraluk s'approcha de moi et me dit:

— Demain, quand tu retourneras à la mission, c'est moi-même qui te conduirai.

Connaissant bien mon Qamoraluk, je n'avais pas particulièrement hâte de faire ce petit voyage. On ne sait jamais! Des fois qu'il aurait projeté de se venger... Donc, pendant le chemin du retour, je craignais de recevoir quelque mauvais coup. Mais je m'aperçus bientôt que je m'étais trompé. De son camp jusqu'à la mission, Qamoraluk fut on ne peut plus charmant, rempli d'égards, multipliant les civilités et les plaisanteries, m'offrant cigarette sur cigarette... Il n'y avait plus rien à comprendre... C'est peut-être ce jour-là que j'ai appris à estimer cet homme à sa juste valeur, et que je me suis rendu compte qu'avec lui, il me faudrait toujours jouer serré, ne jamais céder d'un pouce sous peine de le voir abuser de son avantage.

En fait, cette particularité de son caractère était bien connue de ses compagnons. Il leur imposait du respect, et même un certain sentiment de crainte, à cause des violen-

tes colères où semblait le jeter la moindre opposition. Mais, très vite, il lui fallut bien comprendre que je ne tremblerais jamais devant lui et que je lui tiendrais toujours tête lorsqu'il aurait tort. Pourtant, il semble bien, d'après les événements, qu'il avait décidé de me mâter!

J'en eus la preuve à l'époque où la Compagnie de la Baie d'Hudson ferma ses portes à Wakeham Bay. Nous avions beau multiplier les voyages à Sugluk pour acheter des marchandises, il nous arrivait tout de même de manquer de certaines choses. C'est ainsi qu'un jour le camp fut à court de tabac. Je décidai donc que la provision de la mission serait divisée en parties égales et distribuée aux familles. Tout le monde aurait la même quantité: tant pis pour celui qui fumerait trop vite!

Un soir, Qasilinak, la femme de Qamoraluk, vint me voir à la mission et me demanda du tabac. Il me semblait pourtant avoir été parfaitement clair lors de la distribution de notre provision de tabac...

— Ta famille a eu sa part, lui dis-je. Pas question d'en avoir plus que les autres.

— Mais je peux le payer, répliqua-t-elle en exhibant un billet de banque. J'ai de quoi payer, tu ne peux pas me le refuser!

— C'est bien dommage, fis-je d'un ton ferme, mais je ne suis pas un marchand et je ne vends rien. Chacun a eu sa part et la famille de Qamoraluk n'en aura pas plus que les autres.

Ulcérée de ce refus, elle sortit en manifestant sa mauvaise humeur. Quelques instants plus tard, je n'y pensais déjà plus; j'étais assis, les pieds sur la table, en train de jaser avec une vieille Inuk... lorsque Qamoraluk entra en coup de vent. Sans même prendre la peine de fermer la porte, il vint se planter devant moi.

— Exprime donc tes griefs contre les miens, s'exclama-t-il en se penchant légèrement au-dessus de la table.

— Des griefs? fis-je très calmement... J'avoue que je ne comprends pas...

— Oui, reprit-il violemment, tu en veux à ma famille; tu nous refuses ce dont nous avons besoin et que nous pouvons payer!

Il était visible qu'il cherchait à m'irriter afin d'avoir un bon prétexte pour me tomber dessus. Je n'étais tout de même pas assez fou pour tomber dans le piège. C'est pourquoi, de mon air le plus calme, je le regardai dans les yeux et lui dis:

— Tu veux savoir comment je vous en veux, à toi et à ta famille? Alors, écoute-moi bien... Quand ta fille s'est arraché le petit doigt, vous êtes venus me chercher et je suis allé faire l'opération, à quinze milles de la mission, sans rien te demander... Et quand ta femme avait mal aux dents et qu'on est venu me chercher, j'ai interrompu mon repas pour me taper un petit voyage de quinze milles... Chaque fois que vous êtes malades, je vais vous soigner et vous aider... Et pour ce qui est du tabac, et bien! je vous ai cédé la même part qu'aux autres et à moi-même. Tu n'auras rien de plus! Mon bon ami, un de tes chiens auquel j'ai donné un os à ronger remue la queue chaque fois qu'il me voit et me fait de belles manières comme pour me dire merci... Et toi, pour me remercier de ce que j'ai fait pour toi et les tiens, tu ne trouves rien de mieux que de venir me provoquer! Je te croyais un homme noble, mais je vois que tu es pire que ton chien — ça me déçoit!

Mon pauvre Qamoraluk avait l'air d'un ballon qui se dégonfle. Mais je ne voulais pas laisser les choses en si mauvais état. Me levant, je marchai vers lui et lui saisis la main.

— Je ne t'en veux pas, dis-je en souriant. Je vous aime tous, toi comme les autres — mais pas plus que les autres... Et comme ta colère a dû te fatiguer, ajoutai-je en l'entraînant vers une chaise, assieds-toi et prenons le thé ensemble.

La vieille Inuk, qui s'était figée de peur en voyant entrer Qamoraluk, se détendit aussitôt. Quelques instants plus tard, nous plaisantions tous trois en sirotant notre thé. En fin de compte, cela avait bien tourné, du moins pour cette fois. Car je me disais que notre petite conversation avait dû le calmer pour un bout de temps et qu'il finirait par agir différemment... Du moins, je l'espérais.

Mais ç'aurait été trop beau. Qamoraluk ne pouvait pas changer du jour au lendemain. Et, fidèle à lui-même, il récidiva de temps en temps, mais son vieux bon sens devait toujours le retenir. Car il faut dire que le calme et la bonté ont presque toujours raison de l'irascibilité des Inuit. Une vieille Inuk me dit un jour:

— Avec toi, on ne peut pas gagner: tu ne te fâches pas!

Je remerciais le ciel d'avoir pu, à cette époque, dominer les impulsions de mon caractère. Quand je repensais à la scène qui m'avait autrefois opposé, sabre en main, à mon frère Jean, j'en avais encore des frissons rétrospectifs. S'il avait fallu que je débarque dans l'Arctique avec ce tempérament de feu, je ne serais pas resté longtemps parmi les Inuit... Quant à Qamoraluk, il ne se lassait pas de donner des coups d'épée dans l'eau. Je n'oublierai pas de sitôt sa dernière colère...

Qamoraluk exigeait de Yoguine, le mari de sa fille, qu'il demeure avec lui et sa famille pour l'aider. Il prétendait que tout ce monde devait rester dans le même camp; que sa fille et son mari devaient élever leurs enfants pour ainsi dire sous le toit des grands-parents... Or, ni Yoguine ni sa femme n'avaient envie de vivre chez Qamoraluk. Ils désiraient aller s'établir de leur côté, dans leur propre camp, et acquérir ainsi une indépendance, une autonomie qui leur faisait défaut tant qu'ils vivaient à l'ombre de Qamoraluk — maître chez lui comme pas un! Ne sachant plus trop quel parti prendre, Yoguine vint me demander conseil. Ni une ni deux, je lui dis de faire comme il l'entendait et de quitter la tente de son beau-père.

— Mets-toi bien dans la tête que tu es marié, lui dis-je. Tes obligations vont à ta femme, et non à ton beau père!

Comme j'aurais dû m'y attendre, Qamoraluk, en apprenant ce que j'avais conseillé à son gendre — qui s'était empressé de m'obéir —, entra dans une terrible colère. Il ne savait plus ce qu'il faisait. Il voulait nous abattre à coups de carabine, son gendre et moi — tellement ivre de colère, qu'il s'était effondré, à moitié inconscient, dans les bras de sa femme qui tentait de le maîtriser. Alors, moi, je veillais au grain. Je connaissais la menace de Qamoraluk et je commençais à me demander — avec une inquiétude bien légitime — jusqu'où ce diable d'homme pourrait aller. Heureusement, sa colère finit par se consumer elle-même et il ne mit pas sa menace à exécution.

Nous en étions là lorsque, un soir que j'étais en train de discuter avec des Inuit venus, selon leur habitude, se sécher ou jouer aux cartes dans la salle de la mission, le jeune Iktokotak fit irruption dans la pièce. Il ferma la porte à la volée — dérangeant un moment les joueurs de cartes qui lui jetèrent un coup d'oeil oblique, puis se remirent à leur partie — et s'avança immédiatement vers moi.

— *Ai,* dis-je en lui serrant la main. *Titorpit* — bois-tu du thé?

— Oui, fit-il simplement; il fait froid.

— Viens-tu de ton camp?

— Oui.

— Pourquoi?

— Qamoraluk m'a envoyé, déclara le jeune homme en dégustant son bol de thé fumant et en mordant à belles dents dans un biscuit. Il est malade. Il voudrait que tu viennes...

Automatiquement, j'acceptai. En fait, la perspective d'un voyage de quinze milles dans cette nuit épaisse ne me souriait guère. Nous étions au début du printemps, mais, ce soir-là, l'hiver avait décidé de frapper un dernier coup. La tempête se levait avec son vent fou, sa neige qui s'était mise à tomber en tourbillonnant peu avant la chute du jour... Puis, je me dis qu'après tout, cela n'avait pas tellement d'importance. Ce ne serait qu'un voyage de plus, assez désagréable et dangereux à cette heure et par ce temps — mais j'en avais vu d'autres. Pendant que je me préparais, Iktokotak me raconta vaguement que Qamoraluk était malade depuis qu'il était tombé à l'eau en chassant. Il avait même perdu son fusil dans l'aventure.

Sachant bien qu'il était parfaitement inutile de demander au jeune homme de quoi, au juste, souffrait Qamoraluk, je me munis, à tout hasard, de ma trousse de médicaments. Je me munis aussi de ma carabine. Au fond, c'était ridicule puisqu'il faisait nuit noire — mais j'en avais décidé ainsi.

Puis nous étions dehors. Iktokotak marchait devant. Je tâchais de ne pas le perdre de vue; c'est pourquoi je le suivais de près — de si près que parfois nous nous touchions presque. Mais il nous était impossible de parler, tellement la nuit était pleine des hurlements de la tempête. Le vent furieux nous jetait une neige sèche au visage; cela brûlait la peau et pénétrait dans les vêtements. La marche, déjà pénible le jour, devenait une épreuve terrible dans l'obscurité de la nuit. Les roches aiguës, les flaques boueuses, le sable mou — tout ce que le dégel avait commencé à opérer — ralentissaient nos pas.

Au bout de quelques heures, la neige se mit à tomber plus lourde, fondante, pénétrant peu à peu nos vêtements et nous trempant jusqu'aux os. Mais nous approchions. Chaque pas semblait plus pénible que le précédent; chaque minute était plus longue. Les abris étaient rares, et, de toute façon, il n'aurait servi à rien de s'attarder. Nous savions qu'il ne fallait pas espérer d'accalmie: cette neige-là allait

"Une surface où le regard se perd à l'infini."

tomber encore pendant des heures et des heures. Mieux valait marcher. Puis, nous approchions du rivage; cela s'était passé plus vite que je n'aurais cru, nous étions presque à destination. Il ne resterait plus que la traversée en kayak... Enfin, nous avons descendu une pente raide, pour nous retrouver sur un promontoire rocheux qui s'avançait en pleine mer.

— Où sont exactement les tentes? criai-je dans l'oreille d'Iktokotak.

— Juste en face de nous, répondit celui-ci en pointant de l'index quelque chose que je ne pouvais absolument pas voir dans toute cette épaisseur de ténèbres mouvantes. Mais la tempête fait trop de bruit; ça ne vaut pas la peine d'appeler pour qu'ils viennent avec le kayak, ils n'entendront pas.

— On n'a pas le choix, il faut attendre la marée basse, conclus-je sans trop d'enthousiasme. On ira à pied.

D'ailleurs, cela valait mieux ainsi. La sauvagerie du vent du nord-est avait encore augmenté. Les rafales transformaient le bras de mer en une sorte de chaudron écumant où il aurait été dangereux de s'aventurer en kayak. Il ne nous restait plus qu'à trouver un coin où attendre la marée basse, un abri quelconque pour nous protéger de la furie de ce vent à vous arracher la face. En peu de temps, Iktokotak dénicha un coin à moitié abrité au flanc d'une falaise. Autant là qu'ailleurs, pensais-je, puisque de toute façon il faut geler! C'est donc là que nous nous sommes réfugiés, blottis contre la roche, pelotonnés sur soi-même, le visage enfoui dans le capuchon pour fuir les morsures de la tempête. Nous tentions de nous reposer un peu... Mais allez donc vous détendre avec des habits trempés qui vous collent à la peau, secoué de frissons, transi jusqu'à l'âme... L'un de nous se relevait de temps en temps pour marcher un peu et se dégourdir; puis, l'attente recommençait.

Cette nuit avait bien l'air de ne vouloir jamais finir. Ça allait encore tant que nous marchions, tant que le but demeurait au bout de notre chemin... Mais dans cette attente, dans cette passivité sans recours, le temps avait comme buté sur place — j'avais l'impression qu'il était resté figé, gelé dur quelque part entre ciel et terre et qu'à partir de ce moment plus rien n'allait jamais passer. Pourtant, peu à peu, la mer se retirait... Pourtant, à ma montre, les aiguilles avançaient... Une heure, puis une autre... Le niveau continuait de baisser.

Enfin, une lueur souffreteuse d'aube perça vaguement l'obscurité, éclairant graduellement d'épais nuages bas. Il était temps de nous décider à forcer le passage. Bien sûr, le chemin était encore inondé, mais on pouvait le distinguer très nettement sous le bouillonnement du courant assez vif entre les petits rochers qui émergeaient. Nous n'avancions qu'avec les plus grandes précautions, sondant le sol à chaque pas, jamais sûrs de nos mouvements dans cette eau rapide et écumante. Mais ce n'était tout de même pas si loin, et en peu de temps nous avions atteint l'île où était installé le camp.

Il nous restait encore une colline à gravir avant d'atteindre les tentes. Nous trébuchions sous le poids de nos habits trempés, mais nous avancions toujours... Et c'est dans cet état que nous sommes arrivés devant la tente de Qamoraluk.

Avant d'entrer dans la tente, je croisai Nasaluk, un de nos catholiques. Je l'invitai à venir dans la tente de Qamoraluk, où j'avais l'intention de dire la messe. Lui montrant ma carabine, je lui expliquai que j'avais l'intention de la donner à Qamoraluk, qui avait perdu la sienne.

— Mais je vais bien spécifier, lui-dis-je, que cette arme est faite pour chasser le gibier, et non pour menacer les humains.

— Tu ne vas pas lui dire ça! s'écria Nasaluk d'un air horrifié. Il va se fâcher tout rouge!

— Oui, je vais lui dire ça... et il ne se fâchera pas du tout. Mais on va dire la messe d'abord.

Je fis un signe à Iktokotak, qui ouvrit la porte et passa le premier. Il était visible qu'on ne nous attendait pas si tôt: Qamoraluk dormait encore, de même que son fils et sa fille. Sa femme était en train de faire chauffer le thé sur la lampe.

— *Ai,* dit-elle. Tu es venu vite.

— Il dort encore? demandai-je, pour dire quelque chose. Est-il vraiment aussi malade qu'on me l'a dit?

— Il est malade, répondit-elle en se tournant vers son mari... Il dort, mais il est très malade... Tu es fatigué? Bois du thé, puis repose-toi. Tu l'examineras quand il se réveillera.

Pendant que son mari dormait, Qasilinak me raconta ce qui lui était arrivé... Trois jours plus tôt, il avait voulu partir à la chasse. Elle s'y était opposée parce qu'il ne se sentait pas bien; il devait couver quelque chose. Mais quand Qamoraluk décidait quelque chose... Il avait donc quitté le camp avec son kayak pour aller chasser le phoque. Il ne lui restait que trois cartouches, mais il savait que cela serait suffisant; il était confiant en son habileté de tireur, chaque balle atteindrait son but.

Le temps n'était pas positivement mauvais, mais on pouvait sentir la tempête qui venait: cela n'allait plus tarder... Et Qamoraluk avait longtemps attendu, insensible au froid et à la pluie qui le fouettait, l'apparition du premier phoque. Le vent soufflait plus fort et la mer commençait à devenir mauvaise, quand une bête se montra. Avec d'infinies précautions, Qamoraluk visa l'animal — mais la vague faisait danser le kayak et il manqua son premier coup. Il tira de nouveau et le phoque plongea. Il attendit, mais la bête ne reparaissait pas. Tenant son harpon tout prêt, il se mit à pagayer doucement vers l'endroit où le phoque avait disparu. Il y tourna longtemps, en tous les sens: en vain. Il n'y avait sur l'eau ni tache de sang ni tache de graisse. Maudissant la malchance qui lui avait fait perdre deux précieuses cartouches, il avait dû admettre que l'animal n'avait même pas été blessé. Mieux valait rentrer: inutile de gaspiller sa dernière cartouche en tirant de ce kayak secoué comme un bouchon par cette mer de plus en plus menaçante.

Mais soudain, comme il allait partir, il entendit un bruit qui lui fit automatiquement déposer sa pagaie devant lui et saisir sa carabine. En fouillant la mer du regard, il finit par apercevoir, pas très loin, un morse qui nageait à vive allure. Quelle prise! dut penser l'Inuk. Un morse valait bien, à lui seul, une douzaine de phoques. A présent, l'énorme bête n'était plus qu'à cinq ou six mètres de son kayak. Il tira. Cette fois, il avait fait mouche. Le morse, atteint, plongea aussitôt, puis reparut, plongea de nouveau, émergea encore... Alors, d'un geste vif et sûr, Qamoraluk lança le harpon qui se planta solidement dans le corps de l'animal. Mais le morse avait été plutôt affolé que réellement blessé par la balle de petit calibre que lui avait expédiée le chasseur. Dès que le harpon eut pénétré dans sa chair, il prit la fuite, entraînant la courroie du harpon, qui était lovée à l'avant du kayak et se déroulait lentement. Mais soudain, une de ses boucles sauta et vint accrocher Qamoraluk à la nuque. D'un geste instinctif, l'homme essaya de se libérer; mais en un clin d'oeil la courroie s'était tendue et, sous la secousse, le kayak et son passager se retournèrent d'un seul bloc. Cela continuait de flotter, bien sûr — c'est une particularité du kayak —, mais la tête en bas; Qamoraluk filait à l'envers dans l'eau glacée, tiré par le morse infatigable. La situation du chasseur n'était pas particulièrement brillante. Il sentait que l'air allait bientôt lui manquer; déjà ses poumons étaient brûlants, il fallait respirer. Se sentant perdu, il déployait des efforts surhumains pour libérer sa tête de cette maudite courroie. Il ne put jamais raconter comment cela s'était passé: au moment où, à moitié asphyxié, il allait tout abandonner, il eut vaguement conscience que la pression se relâchait sur sa nuque et qu'il flottait librement entre deux eaux, la tête en bas... Puis, il était assis dans son kayak, toussant et crachant, ne se souvenant même plus d'avoir fait instinctivement le mouvement qu'il fallait pour redresser l'embarcation, ne se rendant même pas encore vraiment compte qu'il était vivant — et qu'il venait d'avoir une sacrée chance.

Il ne se souvenait pas non plus de la façon dont il avait regagné la terre ferme et sa tente. Les deux seules choses qu'il avait retenues, disait sa femme, étaient la perte du morse et, surtout, celle du fusil. Sa seule richesse, l'indispensable arme de chasse était perdue!

Tout en parlant, la femme avait versé à deux ou trois reprises le thé dans les bols. Le breuvage n'était guère plus, en fait, que de l'eau légèrement roussie d'un souvenir de thé — mais il était très chaud et faisait du bien, cela réchauffait tout le dedans. Et tout à coup, je sentis que j'avais sommeil. Quelque chose comme des lingots de plomb qui me pesaient sur le dessus de la tête. J'avais l'impression que j'allais m'écraser là, comme un bout de bois, et dormir pendant des jours entiers. Mais il ne fallait pas; ce n'était pas le moment... Je me penchai sur Qamoraluk et le secouai légèrement. Il se réveilla presque aussitôt, en gémissant, apparemment plus mal en point que je ne l'avais cru.

Je lui administrai un calmant et le couvris avec mon sac de couchage. Puis, je lui dis:

— Je vais d'abord prier pour remercier Dieu que tu sois encore en vie.

— Merci d'être venu, dit le brave homme d'une voix affaiblie. Je ne pensais pas que tu viendrais.

— Je suis venu de bon coeur.

Puis, je dis la messe. Dans l'espace restreint de la tente, la cérémonie prenait un caractère de simplicité assez particulier... Quand tout fut terminé, je marchai sans dire un mot vers l'entrée de la tente, où j'avais appuyé ma carabine — une puissante 30-30 capable de faire des trous considérables dans n'importe quel morse —, je saisis l'arme et me tournai vers Qamoraluk. Il me regardait sans comprendre. Puis, je m'avançai lentement vers lui, la carabine sous le bras, le canon dirigé vers le malade qui commençait à se poser de sérieuses questions... En fait, je crois que mon geste provoqua un petit moment de stupeur dans la tente. Moi, je rigolais intérieurement: je pouvais bien me payer cette petite revanche, pas très méchante au fond.

Je m'arrêtai devant Qamoraluk et lui tendis l'arme, la

crosse la première. Cette fois, son visage laissait transparaître une stupéfaction sans bornes.

— Tu as perdu ton fusil, lui dis-je. Tu es un bon chasseur et un bon pourvoyeur pour ta famille; alors je te donne le mien... Mais à une condition: que tu me promettes qu'il ne servira que pour le gibier et non pas pour menacer les humains...

Ce bon Qamoraluk tremblait et avait la larme à l'oeil. Plus tard, quand il fut rétabli, il insista pour me le payer. Je refusai catégoriquement.

— Nous avons fait un pacte, lui rappelai-je. Je t'ai donné cette arme en y mettant une condition que tu n'as sûrement pas oubliée... J'ai ta promesse. On ne peut plus rien changer à cela.

A partir de ce jour, je n'ai plus jamais eu de problèmes avec Qamoraluk. Nous sommes devenus les meilleurs amis du monde, jusqu'à sa mort suvenue il n'y a pas très longtemps.

"Le pays des Inuit, vous savez, ce n'est pas que de la neige et du vent."

Troisième partie

Les “voyagements”

En 1947, après neuf ans passés à Wakeham Bay, je partis pour Koartak, où nous avions décidé de fonder une mission. Nous en avions longuement parlé avec notre nouvel évêque, Mgr Scheffer, et nous n'avions pu faire autrement que de constater le fait: ces gens avaient réellement besoin d'aide.

Le Gouvernement canadien avait voulu installer un poste de radio à Wakeham Bay en 1927. On y avait donc construit des baraques. Mais, à la dernière minute, on avait changé d'avis et l'on avait plutôt construit la station à l'île de Nottingham. Les baraques avaient donc été abandonnées à Wakeham Bay... Or, tout était à faire à Koartak. Il n'y avait pas de mission, rien — Koartak n'était alors qu'un camp esquimau à la pointe est de la baie Diana, où un certain nombre d'Inuit étaient rassemblés pour la chasse. Je partais justement pour aller la construire, cette mission... C'est pourquoi les baraques gouvernementales avaient l'air d'être là exprès pour nous fournir les matériaux nécessaires. Le Gouvernement donna son accord et, quelque temps plus tard, le peu de bois utilisable que j'avais pu récupérer en démontant les baraques était chargé sur le brise-glace *N.B. Mc Lean,* du département des Transports... Et en route pour Koartak!

Mon évêque m'accompagna jusqu'à Koartak. Ainsi, il fut à même de constater de visu qu'il n'y avait vraiment rien et qu'il faudrait partir de zéro. Yoguine et sa femme, Tireganiak, étaient venus avec moi pour m'aider dans mes travaux de construction.

La chapelle de Koartak.

Koartak.

“D’un camp à l’autre, d’une mission à l’autre, la vie est presque toujours la même dans les territoires de l’Arctique.”

En un temps relativement court, nous avions bâti une baraque de vingt pieds par vingt pieds. C'était rudimentaire mais, pour le moment, cela suffisait. Inutile de dire que je n'avais pas beaucoup de voisins. A part les Inuit du camp, il n'y avait à Koartak que la station de météorologie du département des Transports, située à quelque trois milles de la mission. Durant les cinq années que je passai à Koartak, j'eus maintes fois l'occasion d'aller visiter les opérateurs de cette station ou de recevoir leur visite: cela meublait un peu ma solitude.

Bien sûr, je n'étais pas vraiment seul. Je vivais parmi les Inuit. Mais, tout en les aimant profondément et en me dévouant pour eux, j'avais parfois le sentiment d'être seul. Quant au Patron, j'allais souvent le voir à la chapelle... Mais comme compagnie, il était plutôt discret. Il me parlait au coeur; mais rien n'allait plus loin qu'un long monologue... Que voulez-vous, ce n'est pas tout le monde qui a la chance de posséder un Christ parlant comme Don Camillo! Alors, c'était quelque peu monotone. Pour sortir de soi-même, où l'on risque, après un certain temps, de tourner en rond, pour échanger des idées, il est bon de pouvoir s'offrir à l'occasion une bonne conversation avec une personne issue du même milieu social. Car, à part les soucis de la survie, nos braves Inuit n'avaient guère de préoccupations intellectuelles. Nos conversations ne portaient que sur les exploits de chasse, les petits tracas de la vie quotidienne et les papotages du camp.

* * *

En haut
"C'étaient des jours de détente et de contacts sociaux entre tous, autant que des jours de prière." →

En bas
Ayornamat! On n'y peut rien.

D'un camp à l'autre, d'une mission à l'autre, la vie est presque toujours la même dans les territoires de l'Arctique. Quelques fois par année, je brisais la routine par des voyages. Les destinations étaient toujours les mêmes qu'autrefois, mais cela me faisait du bien de me déplacer un peu. Je me rendais à Fort Chimo deux fois par année: une fois en hiver, en traîneau; une fois en été, par bateau. Quant aux voyages à Wakeham Bay, Sugluk et Ivuyivik, ils n'avaient lieu que l'hiver, en traîneau à chiens.

Comme à Wakeham Bay, j'étais l'homme à tout faire. Je devais m'occuper de soigner les malades, d'extraire les dents, d'instruire ceux qui le désiraient, etc. De plus, comme il n'y avait à Koartak aucun autre lieu de culte, plusieurs Inuit venaient aux offices liturgiques. Nous célébrions particulièrement les fêtes de Noël et de Pâques, par des jeux et des danses. En fait, c'étaient des jours de détente et de contacts sociaux entre tous, autant que des jours de prière.

Ce fut pendant mon séjour à Koartak que j'eus à faire face à une épidémie de rougeole. Chez les Inuit, c'était là une très grave maladie; beaucoup moururent des complications consécutives à cette maladie. Cette fois, l'épidémie fut telle, la maladie était si maligne, que la situation tournait au tragique. Je les voyais tomber autour de moi sans presque pouvoir rien faire — car je vins à manquer d'antibiotiques. J'avais beau me cramponner à la radio et faire appel sur appel, rien ne venait. Quand on décida enfin de se rendre à mes demandes, il était déjà trop tard. Depuis un bon bout de temps, je devais me contenter de soulager autant que possible les souffrances des malades, sans rien entreprendre pour leur guérison. Impuissant devant les ravages de l'épidémie, j'en étais réduit au rôle de croque-mort. Quand un Inuk mourait, la famille, dont presque tous les membres étaient généralement malades, ne pouvait s'en occuper. On reléguait donc le cadavre dans le couloir de l'iglou, où il gelait en un rien de temps. Je n'avais donc pas le choix: je n'allais tout de même pas laisser tous ces corps par terre, dans l'entrée des iglous. Par la force des choses, je devins expert dans la fabrication de cercueils. A vrai dire, il ne s'agissait que d'une simple boîte, une caisse de bois à la taille du cadavre. Et encore fallait-il

que j'improvise avec le bois que je pouvais trouver. Grâce au Ciel, mes amis de la station météorologique se chargèrent de fournir le bois nécessaire. Et ce fut dans ces conditions que j'attendis l'arrivée des secours...

Enfin, un jour, un avion arriva, transportant les précieux antibiotiques. Sans tarder, je me mis à la tâche et, en peu de temps, je parvins à enrayer cette épidémie meurtrière. Pour les Inuit, la vie continuait, comme si de rien n'était. Le malheur avait passé sur eux; mais, à présent, il fallait s'occuper d'autre chose — ce qui était fait était fait. *Ayornamat!* comme ils disaient sans s'émouvoir — on n'y peut rien!

* * *

En 1952, après cinq ans à Koartak, je reçus un appel par radio de mon confrère de Fort Chimo. Le Père Charles de Harveng (un Oblat originaire de Bruxelles) me demandait de partir sans tarder pour Fort Chimo. C'était important, précisait-il. Je n'avais pas à hésiter ni à me poser trop de questions: je me préparai au voyage.

Je partis donc en traîneau à chiens, comme je l'avais si souvent fait jusque-là, pour me rendre à Fort Chimo. Lorsque je me présentai au Père de Harveng, il me parut peu pressé de m'annoncer la raison qui avait motivé son appel.

— Eh bien! pourquoi est-ce qu'on m'a fait venir jusqu'ici? finis-je par demander. Je n'ai sûrement pas fait tout ce voyage pour jaser au coin du poêle...

— Justement, fit le Père Harveng, l'air visiblement gêné, j'allais justement vous le dire... Monseigneur Trocellier me demande de vous annoncer votre transfert au vicariat du Mackenzie...

Il se tut, l'air pas trop rassuré — comme quelqu'un qui s'attend à ce que le plafond lui tombe sur la tête d'une seconde à l'autre. Puis, il me confia, puisque rien ne s'était passé, qu'il n'était pas très enchanté d'avoir été désigné pour m'annoncer la nouvelle.

— On m'avait averti que vous étiez un dur à cuire, disait-il en riant, mais sans trop de conviction, pas tout à fait rassuré peut-être...

— Ils n'y vont pas de main morte à l'évêché, dis-je en ricanant... J'espère que vous n'en avez rien cru.

— Bien... A en croire ce qu'ils disaient, il était peut-être... avantageux de vous prendre avec des gants.

Cette fois, c'était trop drôle. J'éclatai de rire, ce qui parut enfin mettre le bon Père à l'aise.

— Ecoutez, fis-je gaiement, depuis que je suis missionnaire, ce n'est que la deuxième fois qu'on me demande de pratiquer mon voeu d'obéissance. Je suis conscient que j'ai fait ce voeu librement et je ne refuse pas de m'y plier.

Voilà, je venais de le dire... Restait, à présent, à le faire. Peu de temps après, je partais donc pour Montréal, où je devais rencontrer mon nouvel évêque, Mgr Trocellier. D'ailleurs, cette fois, je n'y coupais pas pour les grands voyages: j'étais, en effet, invité par le supérieur général des Oblats de Marie Immaculée à me rendre à Rome... J'avais bien besoin de cela! Mais enfin, il y avait le voeu d'obéissance... Et puis, il faut bien dire que le geste était aimable: le Père Deschatelet, supérieur général à cette époque, avait invité à Rome tous ses missionnaires du Grand

Nord. A tout prendre, c'était l'occasion ou jamais de visiter la capitale italienne et le Vatican...

Evidemment, je profitai de mon passage en Europe pour revoir ma famille à Paris, Soissons, Valence, Cannes... Mais ce n'était plus comme avant. Je me sentais véritablement déraciné. A vrai dire, je m'attendais à cette réaction, puisque deux ans auparavant j'étais allé passer quelques mois en Europe et que je m'étais senti, jusqu'à un certain point, étranger. Après tout ce temps passé dans l'Arctique — lors de ce second voyage, j'étais missionnaire depuis quinze ans —, quelque chose avait changé en moi. Bien sûr, je revoyais des gens que je connaissais, je retrouvais des visages aimés. Mais je ne me sentais jamais autre chose qu'un vague parent en visite. Je n'étais plus chez moi en France.

Ce fut donc avec joie que je retrouvai le Canada, mon pays d'adoption pour le reste de ma vie, semblait-il. De Montréal, je gagnai Fort Smith en passant par Edmonton. Il me fallut alors décliner l'offre qu'on me faisait de devenir économe vicarial à Fort Smith — ce n'était tout de même pas pour cela que j'étais venu ici! Alors, on m'envoya à Bathurst Inlet, où je devais étudier avec le Père Lemer, qui était en charge de cette mission, la possibilité de fonder une mission à Cambridge Bay... Mais il fallait que je m'arrange pour que le vicariat n'ait pas à débourser de sommes importantes. Je retrouvais bien là le constant défi des missionnaires: tout faire avec rien.

Or, il y avait à Gjoa Haven un de nos missionnaires qui avait la réputation de se débrouiller fort bien à partir des ressources du territoire qu'il occupait. Il construisait des maisons à l'aide de pierres et de terre glaise: cela pou-

Maison de pierres et de terre glaise construite selon la technique du Père Henri.

vait s'avérer fort intéressant, dans les conjonctures où je me trouvais.

Le Père Henri, avant d'aller oeuvrer à Gjoa Haven, avait été missionnaire à Pelly Bay. Cet ascète y avait vécu dans des conditions inimaginables, dans un trou tout juste bon à conserver les phoques — une espèce de caverne glacée, dont les Inuit eux-mêmes n'auraient pas voulu. Dans son livre *Kabloona,* Gontran de Poncins parle du Père Henri, qu'il avait rencontré dans sa grotte de Pelly Bay.

Je suis donc allé rendre visite à ce bon et saint Père, chez qui j'ai demeuré quelques jours — heureusement, il n'habitait plus dans une grotte mais dans une maison édifiée selon ses techniques de construction. Je m'empressai donc d'étudier à fond ces techniques, pour pouvoir à mon tour les appliquer là où l'on m'enverrait.

Economiquement, ces maisons de pierre ne coûtaient rien — sauf l'huile de bras et la peine de ramasser les matériaux dont l'Arctique était abondamment pourvu. En effet, la pierre, la glaise et le sable se trouvaient facilement dans la région. Mais encore fallait-il transporter tous ces matériaux, aller chercher de l'eau pour mélanger avec la glaise et le sable... et travailler à la construction même de la maison. Cela exigeait des efforts assez fatigants, il faut l'avouer — mais rien d'excessif. Ce fut pourtant ce qui détermina l'échec de ce type de construction chez les Inuit. En effet, le Gouvernement s'était mis à leur construire des maisons, de sorte qu'ils n'avaient pas du tout envie de le faire à la sueur de leur front. Au fond, c'est assez compréhensible! De plus, il faut dire qu'une maison préfabriquée se montait en quelques jours, alors que celle de pierre et de glaise demandait deux ou trois mois de dur labeur.

Cependant, comme nous le verrons plus loin, cette technique de construction allait me servir quelque temps après. Elle allait me permettre de bâtir des maisons ou des ateliers que je n'aurais pas eu les moyens d'ériger s'il avait fallu importer les matériaux de construction nécessaires.

Lorsque je revins à Bathurst Inlet, je fis partager au Père Lemer les connaissances que j'avais acquises en matière de construction. Puis, dûment instruit, il se prépara à partir, dès l'arrivée du printemps, pour commencer les travaux de maçonnerie à Cambridge Bay. Pendant ce temps, je resterais à Bathurst Inlet pour démolir un entrepôt qui ne nous servait plus, afin de récupérer le bois, les clous, le papier de toiture et les fenêtres — ce qui implique, on s'en doute, beaucoup de soins dans les travaux de démolition.

Aux premiers signes du printemps, mon compagnon partit donc en traîneau à chiens; de mon côté, je me mis au travail sans tarder. Pour transporter les matériaux récupérés, nous avions pu acheter, avec l'appui financier de quelques bons amis des Etats-Unis, un bateau d'occasion. Mais, lorsque j'eus terminé mes travaux de démolition et que la date de livraison du bateau arriva... il ne se passa rien. On ne pourrait nous livrer notre bateau que plus tard. Mais je n'avais pas le temps de rester assis à attendre. Il ne me restait plus qu'à me débrouiller, comme toujours. Je parvins donc à embarquer tous mes matériaux sur le *Fort Hearne,* schooner de la Compagnie de la Baie d'Hudson.

C'est ainsi que je pus arriver à Cambridge Bay vers la date prévue. Je constatai aussitôt que mon compagnon n'avait pas perdu son temps. Les travaux de fondation étaient déjà considérablement avancés. Il était clair que nous pourrions achever la construction de notre maison dans les délais que nous nous étions imposés.

L'aviation canadienne possédait une école de survie à Cambridge Bay. Les autorités de l'école n'avaient fait aucune difficulté pour nous prêter une petite baraque où nous couchions en attendant de pouvoir habiter notre maison. Mon compagnon prenait ses repas chez des amis: je faisais la même chose chez d'autres amis. Nous n'avions pas de temps à perdre en petits travaux domestiques. Nous travaillions de six heures du matin jusqu'à onze heures du soir, ne nous interrompant que pour manger — et encore, le plus vite possible. Avant de gagner notre chantier, nous célébrions nos messes. Puis, c'était la journée de dur travail qui commençait. Mon compagnon continuait de s'occuper de la maçonnerie — il avait eu le temps de se faire la main —, tandis que j'exécutais les travaux de menuiserie. Nous avions pu mettre la main sur une vieille baraque, que je démolissais. Chaque clou, chaque bout de planche étaient précieux, car les matériaux que j'avais apportés de Bathurst Inlet étaient insuffisants.

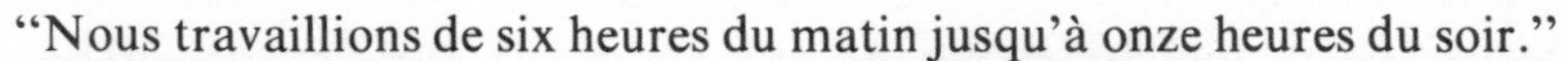

"Nous travaillions de six heures du matin jusqu'à onze heures du soir."

Nos travaux de construction achevaient. Il était temps: j'étais mort de fatigue. C'était inévitable, nous n'étions que deux pour tout faire. La main d'oeuvre coûtant trop cher, nous avions dû nous en passer. Vers la fin, on nous envoya tout de même un jeune Père pour nous prêter main forte. Ainsi, grâce aux matériaux et à ces bras supplémentaires, nous avons pu terminer notre maison. Elle mesurait environ vingt-sept pieds par vingt-huit et comportait quatre pièces, dont une chapelle au rez-de-chaussée et deux chambres à coucher à l'étage, dans le pignon du toit. Aujourd'hui, cette maison a été abandonnée, par suite du déplacement du village de Cambridge Bay.

* * *

A l'automne, je dus partir. C'était une époque où l'on me déplaçait pour ainsi dire à tour de bras! Cette fois, on m'envoyait en France pour travailler dans le cadre de l'oeuvre de la propagation de la Foi. Cela répondait à une demande de cette oeuvre de propagande pour les missions. On y avait besoin de missionnaires qui avaient travaillé "sur le terrain", afin de livrer au monde un message concret et vivant. Tout cela était bien beau; mais aucun des Pères qui avaient effectué ces tournées de propagande n'en était revenu avec un enthousiasme débordant. Chacun trouvait cette vie de conférencier monotone et fatigante, de sorte qu'au bout de quelques mois tous voulaient qu'on les laisse retourner en mission. Après tout, un type qui s'est senti attiré vers la vie active du missionnaire n'a sans doute pas le caractère qui convient pour passer son temps à parler de ce qu'il devrait être en train de faire.

Je dus donc parcourir la France, donnant de très nombreuses conférences sur l'Arctique canadien. Pour donner un peu de vie à mes conférences, je projetais des films très bien réalisés par l'Office National du Film du Canada. On y voyait et entendait des Inuit revêtus de leurs habits traditionnels, en train de vivre leur vie de tous les jours, ou occupés à danser ou à chanter... Toutes choses que j'avais hâte de revoir pour vrai! Quant à moi, je me tapais mes conférences, presque héroïquement je dois dire: car je m'habillais, pour la circonstance, comme les Inuit. Dans ces vêtements de peaux si confortables par cinquante degrés sous zéro, je suais comme un cheval de course. Mon anorak fait de peaux de siksik était très joli, je ne peux pas dire le contraire... Mais, après quelques conférences dans des salles bien chauffées, il se mit à dégager de drôles d'odeurs. On n'a pas chaud impunément, il n'y a rien à faire. Pour éviter de sentir trop fort, je dus l'arroser copieusement de parfum: c'était le seul moyen que la charité me suggérait pour préserver la sensibilité olfactive de mon entourage.

De ces satanées conférences, j'en ai donné je ne sais plus combien. J'ai parlé devant les auditoires les plus variés: gens cultivés ou peu instruits, collégiens, étudiants, etc, tous montraient beaucoup d'intérêt pour cet Arctique si fascinant et si mal connu. D'ailleurs, ça n'a pas tellement changé: aujourd'hui encore, les gens sont attirés par ces territoires et ils aiment entendre parler de ce qu'y était la vie avant que la technologie de l'homme blanc ne vienne tout chambarder. Quand je donnais ces conférences, les transformations profondes qui n'allaient plus cesser de rendre presque méconnaissables les conditions d'existence des

LONGLAC PUBLIC LIBRARY

Inuit avaient déjà commencé à opérer. Déjà, l'héritage culturel, les traditions léguées par les ancêtres étaient en train de se dégrader et de se perdre. Et cela allait vertigineusement vite... Tellement qu'aujourd'hui les Inuit vivent d'une manière qui n'a plus rien de commun avec le passé. Ils connaissent le confort: qui pourrait leur reprocher d'en profiter comme tout le monde? Autrefois, il vivaient dans l'iglou ou sous la tente et se nourrrissaient par la chasse et la pêche. A présent, ils habitent dans des maisons préfabriquées fournies par le gouvernement — qui se charge également de les chauffer et de les meubler s'il y a lieu. C'est le progrès. L'artisanat s'est développé et, avec l'expansion des villages, de nouveaux emplois ont été créés: chauffeurs de véhicules, ouvriers dans la construction, etc.

Je leur parlais donc de mes Inuit, tout en sentant au fond de moi une irrésistible démangeaison d'y retourner. J'essayais de tenir le coup — et je le fis tant que j'en fus capable. Mais, au bout de huit mois, j'en avais jusque-là. J'obtins donc la permission de retourner dans le vicariat du Labrador, car on désirait que j'aille fonder une mission à Povungnituk, sur la côte est de la baie d'Hudson, dans le Nouveau-Québec.

Povungnituk

Povungnituk

Lorsque je rentrai au Canada, il était un peu tard pour organiser la construction à Povungnituk. La saison était, en effet, trop avancée pour que j'aie le temps de rassembler tous les matériaux indispensables, qui étaient éparpillés un peu partout. En attendant, on m'envoya donc à Sugluk, petit village esquimau dans le détroit d'Hudson. J'allais y aider le Père Kees Verspeek, un missionnaire d'origine hollandaise, à construire une nouvelle mission.

Du premier coup d'oeil, je constatai que la maison du Père Verspeek était plutôt délabrée — suffisamment, en tout cas, pour que la construction d'une nouvelle habitation soit justifiée. Quant aux matériaux, c'était encore la sempiternelle histoire que je commençais à bien connaître: démolir une chose pour en construire une autre. Pourtant, cette fois, le scénario se présentait un peu différemment. Nous disposions de bois provenant de Fort Chimo, où plusieurs bâtiments de l'ancienne base militaire américaine avaient été acquis des surplus de guerre, puis démolis systématiquement pour fournir tous les matériaux de construction possible. En fait, ces bâtiments fournirent une quantité appréciable de bois — assez, même, pour en expédier une bonne quantité sur le site de la future mission de Povungnituk.

Un frère originaire de Belgique nous prêtait main forte. De plus, nous employions quelques Inuit. Ces braves gens travaillaient très bien et manifestaient toute la bonne volonté du monde; ils se révélaient des auxiliaires précieux autant dans les travaux de construction que dans tout ce qui regardait la mécanique courante. Il faut admettre, cependant, que le moindre gibier passant dans les environs suffisait à leur faire lâcher leurs outils pour saisir la carabine qu'ils gardaient toujours à portée de la main. C'était là une réaction des plus compréhensibles — et les missionnaires n'étaient généralement pas les derniers à courir sus au gibier. Dans l'Arctique, quand la viande passe, il ne faut pas la rater!

Vu que nous étions plusieurs à mettre la main à la pâte, les travaux marchèrent rondement. Tout était terminé lorsque, au printemps, je quittai Sugluk pour Ivujivik, afin d'aller vérifier le matériel entassé par le Père directeur de la mission pour la construction de Povungnituk. Ce matériel venait en partie de Fort Chimo; une autre partie nous venait de Richmond Gulf, où une de nos missions avait dû être fermée par suite du départ des autochtones vers des postes plus importants et moins isolés.

Je me rendis ensuite à Wolstenholme avec un groupe d'Inuit d'Ivujivik, pour démolir l'ancienne résidence de la Compagnie de la Baie d'Hudson qui avait quitté ce coin trop peu rentable. Je vous jure que c'était du sport, cette démolition au détail, morceau par morceau, essayant de

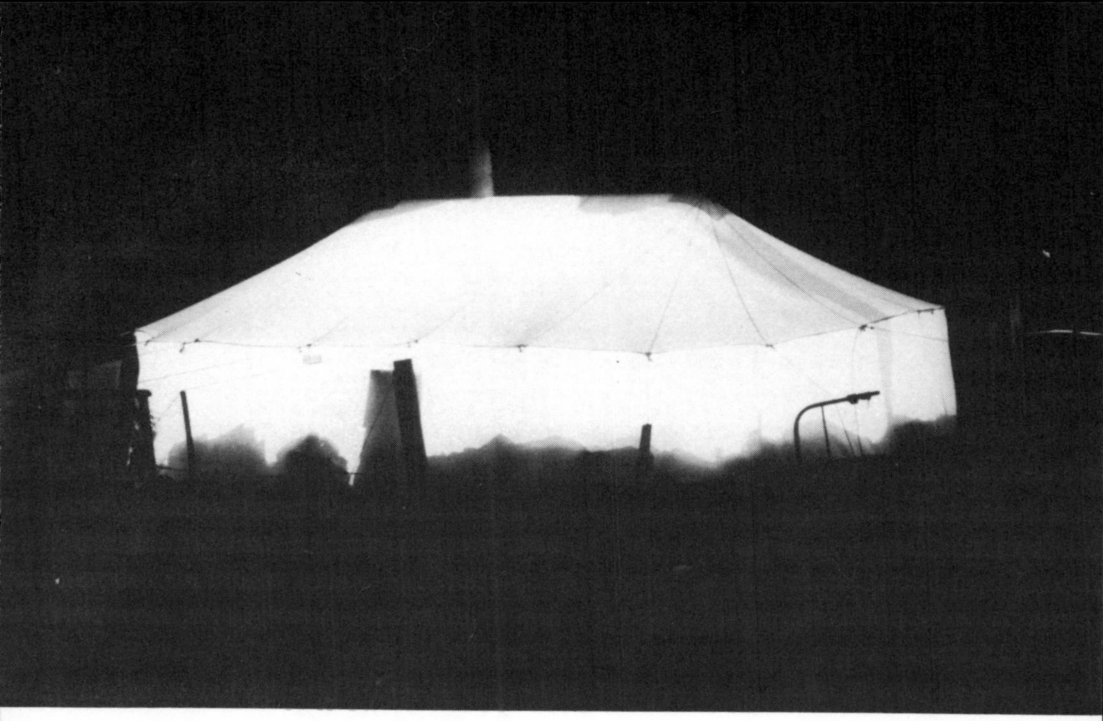

L'été sous la tente à Ivuyivik.

Deux oursons capturés à Ivuyivik pour le zoo de Québec.

récupérer dans le meilleur état possible chaque planche et chaque clou. Il s'agissait vraiment de faire du neuf avec du vieux... Pendant toute la durée des travaux, mes compagnons et moi logions sous la tente; un des Inuit faisait office de cuisinier... Est-il besoin de dire que les menus de notre maître queux étaient des plus simples: poisson ou phoque bouillis, bannock et thé... C'était on ne peut plus fidèle aux traditions gastronomiques de la région...

Les travaux de démolition marchaient rondement lorsque, voulant soulever un gros baril vide, j'éprouvai une fulgurante douleur dans le dos. Quelque chose venait de claquer ou de se décrocher dans la région lombaire. Je n'ai jamais su, au juste, ce qui s'était passé. Dans ce coin du bout du monde où nous étions, il n'était pas question de songer à appeler un médecin. Il me fallut donc endurer mon mal — et, depuis, j'en subis les conséquences, obligé de porter un corset assez semblable à ceux que portaient nos grands-mères pour obtenir une taille de guêpe. C'est très efficace... mais j'avoue que pour la taille de guêpe, ce n'est pas très réussi!

A partir de ce moment, je ne fus plus capable de travailler. D'un seul coup, j'étais, pour ainsi dire, réduit à zéro. Les Inuit qui travaillaient avec moi firent preuve d'une délicatesse extrême. Puisque je ne pouvais presque plus bouger sans ressentir les douleurs les plus vives, ils m'aidaient à m'habiller, à me retourner, ne sachant plus que faire pour me rendre service. Ce comportement ne ressemble pas beaucoup, je pense, à la sauvagerie, aux instincts dégénérés que leur prête l'écrivassier canadien-français dont j'ai déjà parlé...

Lorsque tout fut démoli, les Inuit lièrent les poutres, les poutrelles et les planches en faisceaux pour en faciliter le

transport. Les portes et les fenêtres furent emballés dans des caisses à claire-voie, les vieux clous soigneusement assortis et mis dans des caisses improvisées, et tout ce qui restait de matériaux hétéroclites se trouva empaqueté pour un usage futur. Une paroisse de Lévis ou de Lauzon, qui avait été mise au courant de notre entreprise, s'était jointe à nos efforts en ramassant tout ce qui était susceptible de nous être utile. C'est ainsi que nous avons reçu un four à pain, de vieilles portes et fenêtres, des meubles, une cheminée faite de blocs de ciment s'emboîtant l'un sur l'autre, de nombreux articles de cuisine, de salle à manger et de chambre à coucher, etc.

Comme je n'avais plus rien à faire à Wolstenholme, je retournai à Sugluk, pour tenir compagnie au Père Verspeek que j'avais quitté sans crier gare. Peu à peu, les douleurs de mon dos se calmaient, et je pus me remettre progressivement à travailler. La construction de la nouvelle mission de Sugluk marchait bien, d'autant plus que cette fois nous étions assurés d'avoir assez de matériaux pour aller jusqu'au bout. Vers la fin, un jour que nous étions en train de terminer l'extérieur de la bâtisse, je travaillais sur le toit quand un de nos travailleurs esquimaux me cria:

— *Ilik takugit* — partenaire, regarde!

Il tendait vers moi, pour me la faire voir, sa main ensanglantée, l'index et le médius coupés à la hauteur de la phalange. L'Inuk paraissait complètement décontracté. Il avait l'air de vouloir me faire admirer quelque chose d'extraordinaire. Sans même penser à ce que je disais, je lui criai:

— Ramasse tes doigts et va te faire recoller tout ça par le Père!

Le pauvre homme resta complètement abasourdi devant cette suggestion pour le moins stupide... Moi-même, en y repensant, je ne pouvais croire que j'avais dit cela... L'Inuk a toujours prétendu n'avoir jamais souffert; il s'était à peine aperçu de sa blessure. Il avait cru, disait-il, que la scie circulaire électrique lui frôlait les doigts alors qu'il coupait une planche en la tenant maladroitement, comme on tient un livre, le pouce sur le dessus et les autres doigts en dessous. La leçon était sévère; mais nos collaborateurs esquimaux apprirent ainsi qu'une scie circulaire ne se manoeuvre pas comme une égoïne et coupe vite...

* * *

Les 25 juillet 1956, tout était prêt. Je m'embarquai avec ma cargaison de vieux bois et un bric-à-brac indescriptible à bord du *Sainte-Marie*, bateau de la mission d'Ivujivik. Ces voyages d'été ne présentent ordinairement pas de problèmes, et bientôt nous arrivions à Magnet Point, où un tas de bois de démolition avait été laissé en vue d'un transport éventuel à Povungnituk.

Mon évêque m'avait prévenu: je ne serais sans doute pas très bien reçu à Povungnituk. Mais j'avais pris cela avec un grain de sel: j'en avais vu d'autres et je me disais, comme d'habitude, que je m'arrangerais lorsque le moment serait venu. Au fond, je ne m'attendais pas à être reçu comme un chien dans un jeu de quilles... Et c'est bien ce qui arriva.

Le gérant de la Compagnie de la Baie d'Hudson avait, de sa propre initiative et sans consulter le ministère des Terres et Forêts, fixé des limites arbitraires à la propriété de la compagnie. Les bornes étaient ainsi disposées que tout le terrain où nous aurions pu construire était devenu ni plus ni moins qu'une propriété privée. Le gérant voyait bien les problèmes qui allaient lui tomber sur la tête avec notre arrivée à Povungnituk. Aussi était-il hostile à l'installation d'une mission dans son coin — et encore plus à la construction de bâtiments sur les terrains de la compagnie.

D'ailleurs, il allait, plus tard, être obligé de réduire ses prétentions au morceau de terrain auquel avait véritablement droit la compagnie, les services gouvernementaux l'ayant à toute fin pratique remis à sa place.

Mais, pour le moment, notre situation n'était pas très brillante. L'opposition de ce monsieur était catégorique, il n'y avait rien à faire pour le persuader de nous laisser construire à l'intérieur de ses bornes factices. Je n'étais tout de même pas (malgré certains picotements que je sentais dans mes mains) pour succomber à la tentation d'un malencontreux pugilat qui, de toute façon, n'aurait rien donné de positif. Tout têtu que je puisse être, je ne venais pas à Povungnituk pour faire de la bagarre. J'en étais donc réduit à construire au milieu d'un tas de rochers!

Puisque je n'avais pas le choix, je cédai et, avec l'aide de courageux Inuit, j'entrepris aussitôt les travaux. Il faut avoir vu l'emplacement sur lequel nous étions déterminés à construire, pour comprendre à quel point la tâche était ardue. C'était un monticule jonché de grosses roches que nous allions devoir déplacer avant d'entreprendre les travaux de fondation. Juste à côté de notre affreux monticule, le terrain se transformait en une belle plage de galets où il aurait été beaucoup plus facile de construire... Mais un Inuk du village y avait dressé sa tente, et je ne me sentais pas le droit de déloger ce vieil habitant du coin qu'il avait choisi.

Sans perdre de temps à nous lamenter sur notre sort, nous nous sommes mis au travail. Les fondations terminées, le plus dur était fait; il ne nous restait plus qu'à construire comme d'habitude. En fait, la mission que nous avons construite, cinq Inuit et moi, tient toujours aussi solide que le roc de Gibraltar, malgré ses vingt ans d'existence. Elle est

Déchargement d'un bateau à Povungnituk.

maintenant la propriété du conseil esquimau du village, qui l'a achetée il y a quelque temps.

Il faut dire que les Inuit sont de très habiles travailleurs. Ceux qui m'aidèrent à construire la mission, je les payais trois dollars par jour, en plus de les nourrir. Cette somme paraîtra peut-être dérisoire, mais il faut savoir qu'elle représentait un salaire plus fort que la moyenne — ces gens ayant toujours travaillé pour des Blancs qui les payaient beaucoup moins. De toute façon, c'était tout ce que je pouvais me permettre de leur donner, car, comme on le sait, le budget qu'on m'avait accordé n'était guère brillant. Evidemment, cette somme ne représente aujourd'hui qu'une petite partie du salaire d'un Inuk, qui gagne en moyenne cinq dollars l'heure — ce salaire allant en augmentant selon les qualifications.

La mission de Povungnituk.

La chapelle de Povungnituk. Au mur, un crucifix de stéatite fait par les Inuit.

J'ai aussi fait du cinéma à Povungnituk.

Même si les travaux n'étaient pas terminés à l'intérieur de la maison, je commençai à faire l'école dès le mois de décembre. Bien entendu, je ne pris que des volontaires. Environ soixante-quinze enfants furent inscrits. Je les divisai en trois groupes — petits, moyens et grands — et échelonnai les cours sur trois périodes de la journée. J'avais encouragé les mères à accompagner leurs enfants, et beaucoup y trouvaient du plaisir. Quant aux adultes, je leur donnais des cours le soir, de vingt à vingt et une heures. Bien entendu, mon école n'avait rien d'officiel. Je ne suivais aucun programme fixe, me bornant à enseigner aux enfants ce qu'ils étaient capables d'absorber. Dans le même esprit, je limitais mon enseignement aux matières qui avaient des chances de leur être utiles dans l'immédiat. Tous mes cours se donnaient en langue esquimaude, l'anglais étant considéré comme langue étrangère qu'il était utile d'apprendre, mais seulement à titre de langue secon-

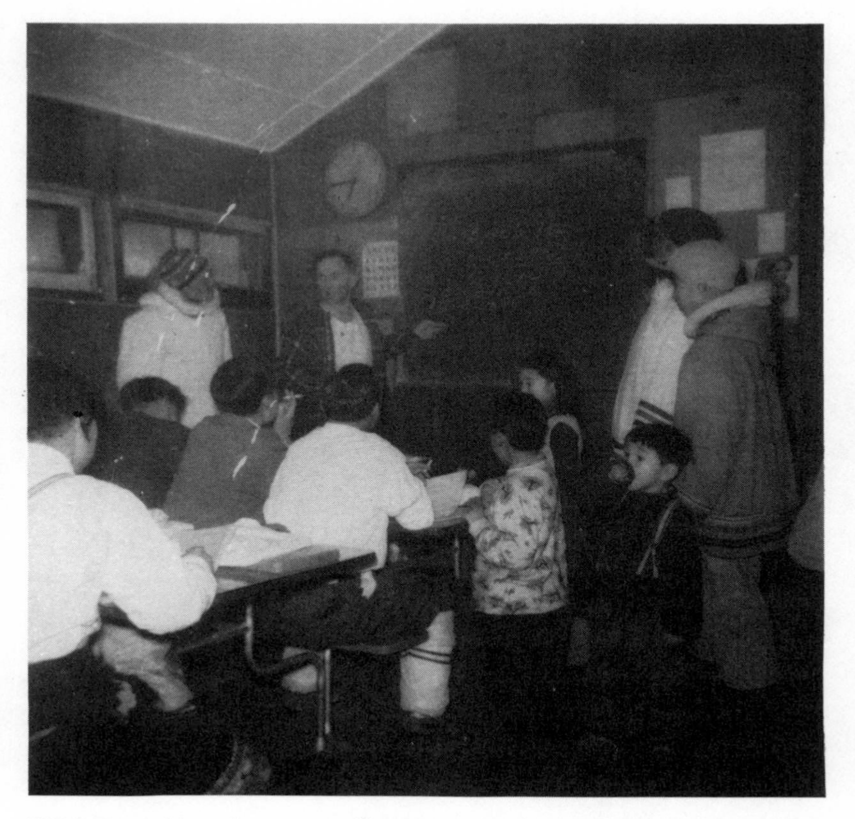

"Nous attachions beaucoup d'importance aux connaissances pratiques, compte tenu des exigences de la vie dans l'Arctique."

de. Notre école ne ressemblait donc en rien à celles du sud. Elle était faite, exclusivement pour les Inuit — pour les aider à améliorer eux-mêmes leurs conditions de vie sans pour autant en faire de futurs chômeurs instruits.

Lorsque le Gouvernement fédéral ouvrit son école anglophone, les enfants qui avaient fait partie du groupe des grands à l'école de la mission subirent un examen d'admission. En général, ils se classaient entre la sixième et la huitième année — à l'échelle de l'école officielle —, selon la matière. Alors qu'en mathématiques ils pouvaient entrer en huitième ou même en neuvième, ils n'atteignaient pour l'anglais, langue seconde, que la première ou deuxième année. J'avais eu soin de faire progresser leurs études au rythme de leur capacité d'apprendre, et non en vue de les incorporer à notre société soi-disant civilisée.

A l'époque où l'école de la mission fonctionnait encore, j'avais tenté une petite expérience qui s'était avérée fort intéressante. Certains jours de la semaine, tous les enfants d'un groupe faisaient le tour de leurs familles. Lorsque nous entrions dans un iglou, l'enfant de la famille s'asseyait sur la plate-forme de neige qui tenait lieu de lit, puis ses camarades (filles ou garçons) demandaient aux parents comment il ou elle aidait la famille à la chasse, aux travaux du ménage, etc. Les parents répondaient franchement, prenant apparemment beaucoup de plaisir à cette espèce de jeu. A la fin, avec l'aide des parents, le jury décernait une note à l'enfant. Chacun y passait. Jugé par tous les autres, l'enfant faisait ensuite partie du jury alors qu'on se rendait dans un autre iglou. Bientôt, les familles firent remarquer que ce procédé encourageait les enfants à se rendre utiles chez eux. Malheureusement, cette pratique cessa avec l'ouverture de l'école fédérale.

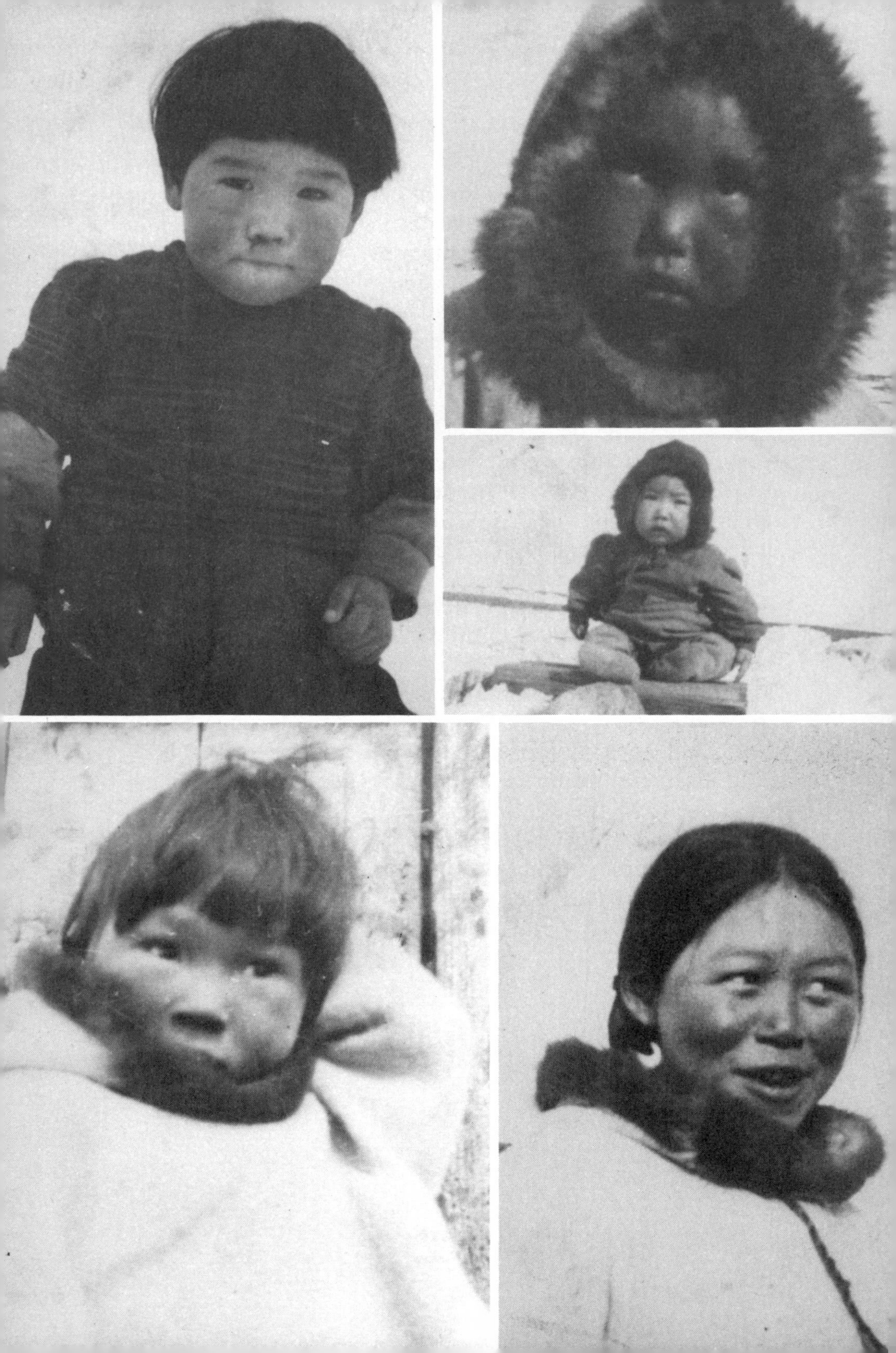

Nous attachions aussi beaucoup d'importance aux connaissances pratiques, compte tenu des exigences de la vie dans l'Arctique. Nous insistions donc beaucoup sur la construction de l'iglou, le tir à la carabine, le harnachement des chiens et la conduite du traîneau, etc. Et, pour que les Inuit puissent vraiment avoir "un esprit sain dans un corps sain", nous faisions une place importante à la gymnastique.

Mais, par-dessus tout, il fallait apprendre aux Inuit déjà confrontés avec la société de consommation de l'homme blanc, que l'argent avait un pouvoir réel et que leur survie allait de plus en plus dépendre de leur aptitude à en gagner et à savoir en user. C'est pourquoi j'avais institué un système d'argent scolaire, utilisant les billets de banque du jeu de "monopoly". Tout se payait ou était payé: présences ou absences, bonnes ou mauvaises réponses, matériel de travail (crayons, gommes à effacer, papier), etc. La paye avait lieu toutes les semaines, comme sur le marché du travail. L'enfant méritait tant et devait tant; la différence lui était remise en cas de crédit, ou il la remettait en cas de débit.

A la fin de l'année scolaire, nous tenions une grande journée de "marché scolaire". Nous avions des comptoirs de jouets, de bonbons, de bijoux-breloques, d'habits fantaisistes. Chaque article avait son prix, en argent scolaire. Les meilleurs élèves faisaient leur choix les premiers et devenaient ensuite vendeurs, un ou deux par comptoir selon la quantité d'articles en vente. Tous ces articles m'étaient fournis par des bienfaiteurs du Sud. Les activités de cette journée étaient très prisées par les Inuit. C'était comme un jour de fête populaire, de réjouissances où tout le monde était convié. Les parents y participaient d'ailleurs avec autant d'excitation que les enfants. Ainsi, peu à peu, l'enfant apprenait que rien n'est gratuit dans la société des

Blancs. Je tenais à ce qu'ils comprennent que l'effort, la méthode, la discipline, le travail assidu obtiennent des résultats profitables tandis que la paresse, la négligence, le laisser-aller et l'indiscipline sont coûteux.

Bien sûr, cette méthode n'a peut-être eu que des succès pratiques limités, vu que son application ne dura que les quelques années où je fus chargé de leur faire l'école. Avec l'école gouvernementale, il n'était plus question de cela, évidemment. C'est pourquoi il est difficile de prétendre qu'à plus ou moins longue échéance le résultat aurait été positif. Sur ce point, chacun peut se livrer à ses propres conjectures!

A la fondation de l'école fédérale, tous les enfants d'âge scolaire furent obligés de passer la journée à l'école, sous peine de voir leur famille privée d'allocation familiale. J'avoue avoir été un peu réfractaire à ce système draconien. J'estimais, en effet, qu'un enfant pouvait parfois être plus utile à sa famille en accompagnant son père à la chasse ou à la pêche — dans le cas d'un garçon —, ou en aidant la mère aux travaux domestiques dans le cas d'une fille. Il fallait que les autorités se rendent compte du milieu où ils avaient implanté leur école. Nous étions loin du contexte urbain ou même rural, la vie avait ici des exigences particulièrement sévères. Il y avait déjà assez longtemps que je vivais parmi les Inuit pour savoir de quoi je parlais. J'allai même jusqu'à faire savoir à la personne en charge de l'école que je réagirais ouvertement si je m'apercevais qu'un enfant était détourné des services qu'il devait rendre à sa famille.

Maintenant que je peux voir les choses avec un peu de recul, je doute de plus en plus de l'utilité d'avoir imposé ce système d'éducation à des gens qui n'ont pas la possibilité de s'intégrer rapidement à notre société. Car il faut bien être réaliste: on ne connaît pas encore le tour de passe-passe, la formule magique qui pourrait faire passer d'un seul coup à l'âge atomique des hommes qui en sont encore, jusqu'à un certain point, à l'âge de pierre. Le cheminement devrait s'opérer lentement, très graduellement — un peu comme la lente série de transformations qui conduit un bébé jusqu'à l'âge adulte. A mon avis, il aurait fallu employer un procédé beaucoup plus souple, leur laisser le temps de franchir ce pas — que la civilisation les oblige à faire en leur poussant dans le dos. Comme le faisait remarquer un de nos Pères Oblats, missionnaire lui aussi dans le Grand Nord, les Inuit deviennent des chômeurs diplômés. Le phénomène est général, même si quelques rares exceptions ont su profiter de cette situation pour parvenir à une position relativement enviable dans notre système. Malgré tout, il est quand même possible que les conditions aillent en s'améliorant. Je n'en sais rien — je ne peux que le souhaiter de tout coeur...

Maîtres de leur destinée

C'est vers cette époque que les Inuit commencèrent vraiment à regarder la sculpture de la stéatite comme une source de revenus. Jusque-là, ils avaient surtout travaillé la stéatite pour fabriquer des lampes, des chaudrons ou d'autres objets d'usage domestique. L'artiste esquimau s'en servait aussi pour réaliser des sculptures, selon une technique qui lui avait été transmise par les plus vieux. Il contribuait ainsi à la survivance d'une tradition, d'un art tout à fait folklorique qui le reliait avec son passé. Puis, un certain gentleman qui travaillait dans l'Arctique entreprit, avec la coopération du "Canadian Handicraft Guild", d'encourager les sculpteurs à produire des oeuvres pour la vente. C'est là que tout allait commencer.

Les Inuit sont très talentueux. Ils sont adroits de leurs mains et bénéficient de l'esprit d'observation du primitif, qui sait mieux que quiconque percevoir les aspects cachés de la matière. Leur imagination est libre de toute contrainte; elle n'est pas obscurcie par les préjugés et les modes de la "civilisation"... Certains avaient donc remarqué que la stéatite ainsi que l'ivoire des dents de morses prenaient entre leurs mains des formes magnifiques. Cela pouvait se vendre: il y avait sûrement un marché pour ces sculptures. Mais, comme c'est souvent le cas, le commerce n'aidait en rien les véritables artistes. C'est-à-dire qu'un Inuk qui sculptait en une semaine une douzaine de petits objets (du genre "souvenir") arrivait à gagner plus que celui qui prenait le temps de créer une véritable oeuvre d'art. D'autre part, l'artiste devenait facilement la proie des exploiteurs, qui se chargeaient d'écouler au détail ses réalisations. Il arrivait fréquemment que le prix de vente dans le Sud soit dix fois plus élevé que celui qu'avait obtenu l'artiste — parfois, même, la proportion était plus grande.

Il fallait faire quelque chose. Je trouvais cette situation inacceptable et j'étais résolu à faire mon possible pour aider les Inuit à tirer un meilleur parti de leur talent. A plusieurs reprises, j'en discutai avec quelques bons sculpteurs esquimaux. Assez rapidement, nous avons entrevu une solution qui, au moins, avait le mérite d'être applicable et logique: essayer d'écouler les sculptures en éliminant le plus grand nombre d'intermédiaires possible.

"C'est vers cette époque que les Inuit commencèrent vraiment à regarder la sculpture de la stéatite comme une source de revenus."

Il s'agissait, avant tout, de nous assurer des appuis. Nous partions de zéro, il fallait que quelqu'un nous aide à lancer le projet. C'est alors que je fis appel à Robert D. Cowen, un ami très cher aujourd'hui décédé, que j'avais rencontré dans des circonstances assez particulières. Lorsque j'étais à Koartak, l'équipage d'un brise-glace vint un jour me demander si j'acceptais qu'on dépose près de la mission des barils d'essence pour avion, dont je serais responsable. Ce ravitaillement était destiné à un groupe de Canadiens et d'Américains qui devaient passer par là au cours de l'été suivant. Tout était prévu dans leur itinéraire, et ils n'auraient qu'à s'arrêter à Koartak pour faire le plein...

En soi, je n'avais aucune objection à ce que les types laissent leurs barils d'essence chez moi. En un sens, je m'en fichais éperdument. Mais à l'époque, je devais m'absenter souvent de la mission; je voyageais dans les camps esquimaux, de sorte que je pouvais difficilement me rendre responsable des barils. C'est pourquoi je suggérai, tout simplement, de déposer le ravitaillement à la station de radio du cap Hopes Advance. L'avion n'aurait qu'à aller faire le plein là-bas — un saut de puce par la voie des airs —, et tout le monde serait content.

Lorsque les avions amerrirent à Koartak pour faire le plein, j'expliquai aux voyageurs que le carburant était sous la garde de la station du ministère des Transports. Ce n'était pas loin, mais le mauvais temps venait de se lever. Vu que, même par beau temps, il était difficile d'aborder au cap Hopes Advance, les touristes décidèrent de rester à Koartak pour attendre les événements. Je les reçus donc dans toutes les règles de la grande hospitalité nordique. En fait, je pouvais me permettre de les traiter avec un luxe relatif, puisque je venais de recevoir mes provisions pour l'année —

y compris le vin de messe qui me permit de servir à mes hôtes un petit extra.

Comme ma baraque était petite, je les y installai et allai coucher dans la cabine de mon bateau. Ainsi, le groupe avait l'usage total de la mission et pouvait attendre dans un confort relatif des conditions atmosphériques favorables qui leur permettraient de repartir. Or, c'était Robert D. Cowen, président d'une importante compagnie de charbon de Cleveland, qui dirigeait le groupe. En peu de temps, nous étions devenus les meilleurs amis du monde et Bob ne cessait de me harceler pour que je lui dise ce qui me manquait. Il voulait absolument m'offrir quelque chose qui pourrait m'être utile. Mais je n'acceptai rien — sauf, plus tard, l'hospitalité princière qu'il me réserva lorsque je descendis dans le Sud.

L'idée de faire appel à Bob Cowen pour nous aider à lancer notre projet d'élimination des intermédiaires dans l'écoulement de l'artisanat, n'était donc pas si mauvaise... A présent, je pouvais lui dire ce que je voulais qu'il fasse pour moi. Je lui écrivis donc: "Tu m'as toujours offert ce qui pourrait me servir. Cette fois, je viens solliciter ton aide pour le lancement de notre société d'art esquimau." Sans hésiter, Bob accepta de parrainer le voyage que nous devions entreprendre, Charlie Sivuarapik et moi, afin de trouver une clientèle susceptible d'acheter les sculptures de nos artistes.

A la fin de janvier 1958, je quittais Povungnituk en compagnie de Charlie Sivuarapik, excellent sculpteur esquimau, qui allait devenir le premier président de la coopérative qu'il m'aida à fonder; plus tard, il fut membre de la Scoiété des Sculpteurs du Canada (S.S.C.). Charlie mourut de la tuberculose, il y a trois ou quatre ans. Nous emportions une demi-douzaine de sculptures qui représentaient ce que nos artistes pouvaient faire de mieux.

M. Tom Wheler, président de Wheler Airlines et membre du groupe que j'avais hébergé à Koartak, nous offrit le transport jusqu'à Montréal. De là, M. McGregor, alors président de Trans Canada Airlines (aujourd'hui Air Canada), se chargea de la dernière étape de notre voyage. Nous avons pu, de cette façon, atteindre Cleveland où nous étions attendus par Bob Cowen. L'accueil que nous avons reçu de la part des média d'information et des organismes publics dépassa toutes nos espérances. Dès qu'il avait appris la date de notre arrivée, Bob s'était démené, avait fait jouer des influences à gauche et à droite, avait tant fait que nous avons pu accorder de nombreuses entrevues à la presse, à la radio et à la télévision. Logiquement, c'était le meilleur moyen de faire connaître notre entreprise et, par suite, d'avoir accès à toute la clientèle possible. Il nous expédia même à New York, où nous avons passé à l'émission de télévision de Dave Garroway — ce qui nous valut la clientèle de la boutique des Nations-Unies.

Quand nous avons été reçus à l'Institut d'art de Cleveland, dirigé par le professeur McVeigh, Charlie fut absolument abasourdi de constater que les élèves en sculpture réalisaient des modèles, des ébauches avant de s'attaquer à l'oeuvre définitive. C'était là un procédé qu'il ne comprenait pas. Il concevait l'art de la sculpture à la façon esquimaude; c'est-à-dire qu'au départ, chaque morceau de pierre contenait une scène que l'artiste devait découvrir en

Notre premier voyage à Cleveland. Au centre, Charlie Sivuarapik et à droite, Robert Cohen.

le contemplant. Il ne s'agissait, ensuite, que d'enlever le surplus pour dégager du bloc la scène qui s'y trouvait. Charlie ne pouvait même pas supposer qu'on pût procéder autrement pour exécuter une sculpture. Pour lui, il était invraisemblable qu'on puisse songer à réduire la pierre au caprice de l'artiste — qui n'était là que pour faire ressortir ce que la pierre contenait déjà virtuellement... Je parle de cela au passé, parce que bien des choses ont changé depuis. J'irais même jusqu'à dire que cette conception de l'art s'est perdue

progressivement et que cette attitude, cette approche de la matière et de son contenu sculptural n'exite plus guère parmi les sculpteurs esquimaux. Aujourd'hui, ils n'ont pas le temps de se livrer à cette espèce de méditation qui précédait autrefois tout travail direct de la pierre. Ils sculptent vite, le plus vite possible. Il est donc facile de comprendre que la qualité de leurs oeuvres ait diminué avec leur faculté de perception et d'interprétation du matériau. Il s'agit d'en faire le plus possible, on travaille dans la précipitation pour gagner beaucoup d'argent. On pourrait presque dire que leurs oeuvres s'apparentent, à présent, beaucoup plus à l'artisanat qu'à l'art véritable... Mais il est peut-être risqué de poser un jugement catégorique, puisqu'on ne sait pas toujours très exactement où s'arrête l'un et où commence l'autre.

Mais Charlie Sivuarapik sculptait selon les traditions, et il avait eu une sorte de haut-le-corps lorsque le professeur Mc Veigh lui avait donné un morceau d'albâtre dans lequel il avait esquissé une tête de hibou.

— Pas étonnant qu'il n'ait pas continué, me confia-t-il plus tard: il n'y avait pas de tête de hibou dans ce morceau de pierre!

De retour à Povungnituk, Charlie se mit au travail et transforma le morceau d'albâtre en une superbe scène d'ours blanc attaquant une baleine blanche. Mais l'important pour notre entreprise, c'était que nous rentrions avec trois mille dollars de commandes payées d'avance. A présent, nous pouvions agir concrètement... Et ce fut la naissance de deux sociétés esquimaudes indépendantes: la *Sculptors' Society of Povungnituk* et la *Sewing Society of Povungnituk.* Douze hommes et six femmes établissaient les fondations de la future Association coopérative de Povungnituk.

Une fois l'affaire bien démarrée, mon ami Bob continua de nous aider en nous dénichant des clients qui acceptaient de payer d'avance, nous faisant confiance pour la qualité des sculptures. Les membres de la société naissante se réunissaient chaque samedi. Chacun apportait les sculptures réalisées au cours de la semaine. On discutait alors du prix que l'artiste pouvait exiger. Quand ce prix était bien établi, nous pesions la sculpture pour déterminer le coût du transport. On majorait le prix en conséquence, puis on ajoutait un montant pour couvrir les frais d'empaquetage et de manutention. Enfin, nous haussions ce prix de trente pour cent: cela représentait la marge de profit de notre société.

Atelier de couture à Povungnituk.

Sculpter, c'est faire ressortir ce que la pierre contient déjà virtuellement.

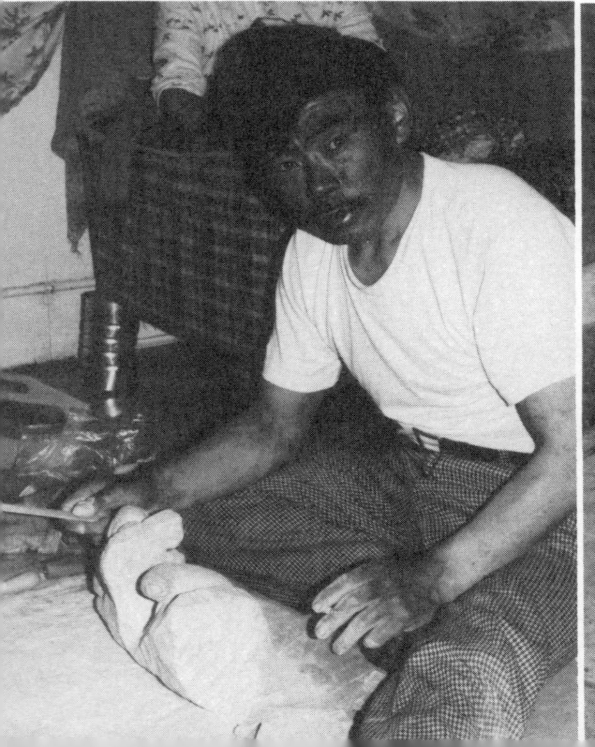

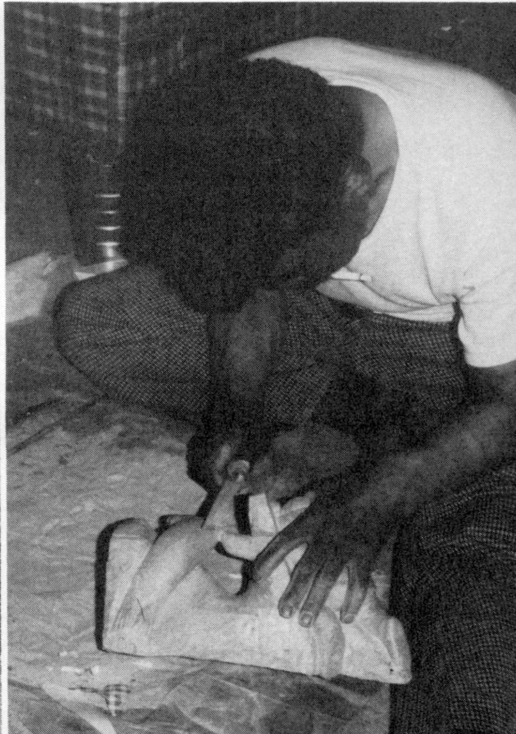

En calculant de cette façon, nous arrivions à obtenir pour l'artiste quarante-cinq pour cent du prix de vente dans le Sud. Du moins, c'était ainsi à l'époque où je m'occupais de la coopérative. Aujourd'hui, la situation a été prise en main par des Blancs, qui contrôlent les opérations avec l'assentiment des Inuit: je ne peux évidemment pas savoir si quelque chose a changé et quels sont les avantages actuels de l'organisation pour les sculpteurs.

Le directeur de l'école fédérale de Povungnituk approuvait entièrement notre formule coopérative. Dès qu'il apprit l'existence de notre organisation, il s'empressa de nous offrir ses services. Sa collaboration nous était précieuse: en plus de participer activement à nos réunions éducatives et commerciales du samedi, il avait intégré mon école à l'école fédérale. J'étais donc devenu titulaire d'une classe où je donnais les cours complémentaires d'anglais avec explications en esquimau, les cours de mathématiques et les cours d'esquimau. Mon travail tirait d'affaire les deux professeurs blancs, qui ne parlaient pas la langue.

Cette collaboration dura un certain temps, puis fut détruite par ordre du gouvernement, qui disait subir des pressions de la part des Eglises qui ne désiraient pas voir d'enseignant catholique dans une communauté protestante, et vice-versa. C'était édifiant! Se disputer, s'entre-dévorer au nom du Christ qui avait dit: "Aimez-vous les uns les autres". Heureusement, tout cela appartient à une époque d'intolérance et de parti-pris, qui semble aujourd'hui révolue. Je ne peux que rendre hommage à ce directeur d'école qui avait compris ce qu'est la tolérance et l'entraide.

* * *

Bob Cowen, que je tenais au courant de toutes nos activités, était d'avis qu'il fallait aller encore plus loin. Selon lui, la sculpture ne suffisait plus; il fallait suggérer aux Inuit de faire de la gravure. Après tout, l'idée avait du bon sens: pourquoi ne pas essayer. D'ailleurs, je savais que l'expérience avait déjà été tentée et que cela marchait toujours très bien — à Cap Dorset où l'agent fédéral, M. Houston, avait introduit cette forme d'art après un voyage au Japon.

La gravure était un art totalement nouveau pour les Inuit. Il leur arrivait parfois de graver des décorations sur les objets d'ivoire qu'ils fabriquaient. Mais cela n'avait rien de commun avec la gravure telle que nous la concevions. La technique que nous avons introduite chez eux ressemblait à celle de la gravure sur linoléum... sauf qu'ils n'utilisaient pas de linoléum. La gravure s'effectuait plutôt sur de la stéatite polie; l'impression était exécutée, au moyen d'encres d'imprimerie normales, sur du Japon de bonne qualité. On imprimait une seule gravure à la fois, à trente exemplaires numérotés de un à trente. Puis, on détruisait la gravure originale en polissant la pierre qui servait à la réalisation d'une autre gravure. Ce procédé donnait évidemment plus de prix aux réalisations de nos artistes.

Puisque M. Houston avait implanté avec succès l'art de la gravure chez les Inuit de Cap Dorset, nous devions être capables d'en faire autant à Povungnituk. Mais, comme je refusais toujours l'immixtion du Gouvernement fédéral dans notre coopérative naissante, je craignais de ne pas trouver aisément un débouché pour les gravures que nos artistes esquimaux produiraient. Le Gouvernement fédéral avait fondé un comité d'art esquimau qui avait pour mission d'approuver les gravures exécutées à Cap Dorset, puis d'y apposer son cachet. Les galeries d'art s'étaient en-

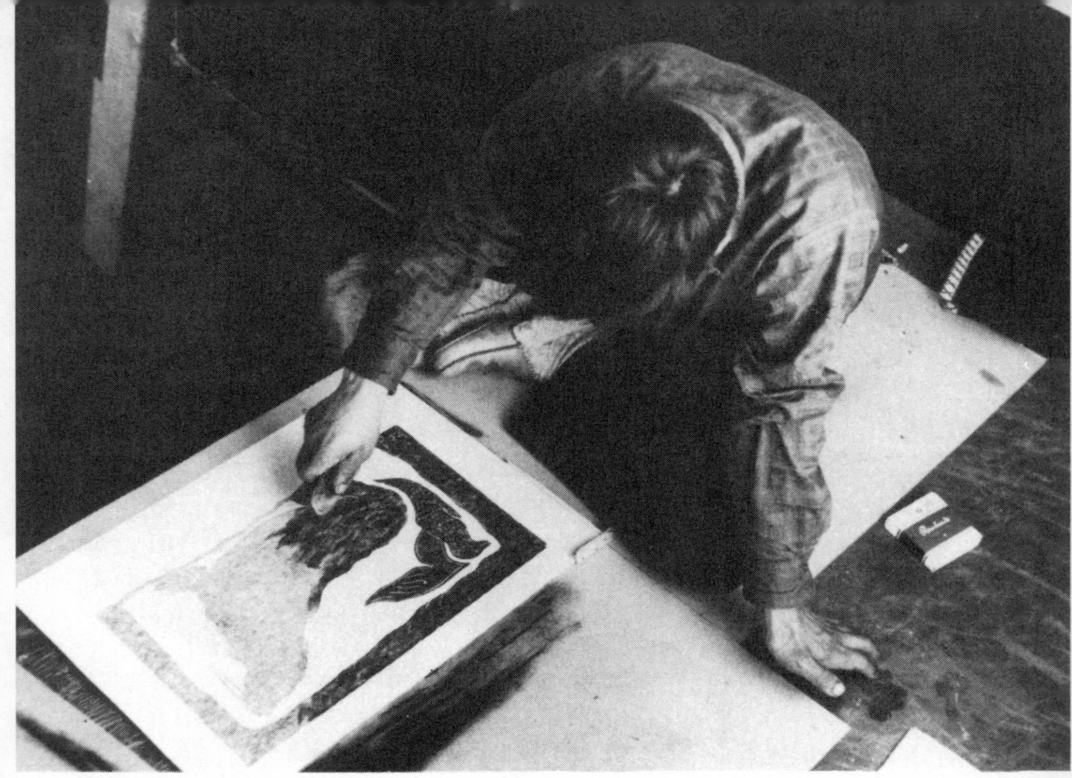

L'art de la gravure.

gagées à ne vendre que les gravures approuvées par ce comité. En se mettant à la gravure, notre coopérative piétinait dans les plates-bandes des gens de Cap Dorset — ce que le comité d'art esquimau voyait d'un oeil pas très tendre... En fait, notre première production fut littéralement boycottée, le comité n'ayant été fondé que pour faciliter l'écoulement de la production parrainée par le Gouvernement. Mais les choses se tassèrent d'elles-mêmes et, bientôt, la coopérative de Povungnituk put écouler les gravures de ses artistes.

Il serait trop long, ici, de relater tous les faits qui ont présidé au développement et à l'évolution de notre coopérative. De plus, je risquerais — personne n'étant complètement objectif... surtout quand les événements nous touchent de près — de tomber dans la partialité en portant des jugements sur des personnes qui ont oeuvré, très probablement avec sincérité, dans la coopérative. J'ai dit plus haut que je ne voulais en aucune façon condamner qui que ce soit. Comme j'avais mis certaines conditions à ma collaboration, j'ai préféré me retirer plutôt que d'accepter ce qui allait à l'encontre de ce que je croyais juste. C'est pour cette raison que, plus tard, j'ai accepté d'être fichu à la porte de l'oeuvre que j'avais essayé de fonder, non pas pour moi, mais pour les Inuit. Je suis même prêt à admettre que l'oeuvre a bénéficié de mon départ. Ce n'est pas important: le temps seul permettra de juger les événements.

La coopérative était à peine fondée, que les difficultés commençaient. Il fallait s'y attendre, cela faisait partie du jeu. Je partis donc dans le Sud pour essayer de régler au moins une partie des problèmes. Je me trouvais en présence d'un inventaire non écoulé d'environ vingt-quatre mille dollars: sculptures en stéatite, gravures, vêtements esquimaux, etc. Nous avions quatre mille dollars en banque et huit mille dollars de comptes à payer... La situation n'était donc pas très brillante!

Heureusement, avec l'aide du magasin Eaton de Toronto et de plusieurs amis dévoués à notre cause, je pus graduellement écouler ce gros inventaire. Nos articles avaient été entreposés dans une des salles de la paroisse de Midland, grâce à l'amabilité du curé de la paroisse et à l'aide précieuse d'un groupe de jeunes gens qui m'aidèrent à transporter les boîtes.

C'est alors que je fis la connaissance de Mlle Thérèse Le Vallée, qui allait, par la suite, jouer un rôle extrêmement

Charlie à gauche et Lucasse à droite, au Midland.

5 Février 1950

En quête d'un marché

Coopérative d'Esquimaux sculpteurs et artisans

Une tentative qui a quelque chose de spectaculaire: une vingtaine d'Esquimaux, des sculpteurs, des artisans, qui se sont formés en coopérative, cherchent à établir des relations commerciales directes avec les marchés des grandes villes du continent.

Plus d'intermédiaires. Charli
Sheeguapik, Peter Angutike
et Isah Kopergroaluk sont a
vés à Montréal mardi,
avion. Le R. P. André S
mann, o.m.i., missionnai
Povungnetuk et instigate
toute l'affaire, attendait
président, le vice-prési
un membre de la coo
Tous quatre, d'ici l
mars, vont organiser
sitions de produits
dans des centres c
américains.

Mais le specta
vent, masque l'é
Pour cerner cel
mandez: pourq
tive? Le père
pond que cett
sation perme
produire des
té, alors q
mande l'a
rapidemen
tité, des
nir. "La

de sauver l'art esquimau", dit le père.

Mais ça n'est pas encore là la
s... cation réelle de la coopé-
... un petit village es-
... plus de 400

qui leur viennent de l'extérieur. Le Père Steinmann en semble convaincu, qui vit là-bas depuis 22 ans.

A l'entendre parler, on a un peu l'impression que les Blancs se préparent d'autres Indiens dans cette partie du continent.
... Indiens dans des réserves
... Le Père n'a pas mé-
... ions pour qua-
... ministère

environ 400 milles au nord de Great Whale River, a refusé l'aide du gouvernement. Elle ne passera pas, non plus, par l'intermédiaire de la Canadian Handicraft Guild.

Les dirigeants viennent arranger leurs affaires eux-mêmes dans le sud. Les étapes de la tournée: Cleveland d'abord, puis New-York, Pittsburgh, Cincinnati, Toronto, Ottawa. Dans la capitale, un homme d'affaires a accepté de servir d'agent
... ent de liaison.

photo LA PRESSE

COOPERATIVE ESQUIMAUDE — Ces Esquimaux arborent un large sourire, et pour cause! Grâce aux efforts du R.P. ANDRE STEINMANN, O.M.I., qui exerce son apostolat dans le Grand Nord depuis 24 ans, ils sont maintenant fiers de posséder leur propre coopérative de sculpteurs, au sein de laquelle tous les artistes et artisans de Povungnetuk, à 375 milles au nord de Great Whale, produiront non seulement des sculptures et gravures sur pierre, mais aussi des gravures reproduites sur papier, des vêtements de fantaisie pour sports d'hiver, des poupées et paniers, etc. On voit ici le Père Steinman en compagnie du président de la Coopérative, M. SHEEGUAPIK (debout), membre de la Société des Sculpteurs du Canada, et de l'un des artistes de la localité.

La Presse (Montréal) 17-6-61

LE DEVOIR

MONTREAL, VENDREDI, 8 FEVRIER 1963

UNE VISITE CHEZ M. RENÉ LÉVESQUE

C'est la "Hudson Bay" qui distribu les octrois fédéraux aux Esquimaux

QUEBEC (DNC). — "Les Esquimaux du Nouveau-Québec espèrent en un avenir meilleur depuis que le gouvernement du Québec a décidé de s'occuper d'eux", a déclaré hier le R. P. Steinman, au ministère des richesses naturelles.

Le missionnaire, accompagné de quelques Esquimaux venus à Québec pour y tenir une exposition d'art, a rendu visite à M. René Lévesque pour lui exposer les difficultés que rencontrent les Esquimaux dans le Nouveau-Québec.

Le ministre l'a assuré que le gouvernement provincial assumera de plus en plus ses responsabilités dans l'administration des Territoires du Nord autant pour protéger les intérêts du Québec que ceux des Esquimaux qui y vivent.

Le P. Steinman a vertement critiqué la Compagnie de Baie d'Hudson qui perpétue dans le Nouveau-Québec des traditions d'un monde révolu... l'Hudson Bay, par... qui distribue les subventio... fédérales tout en étant l'un... que fournisseur de l'Esqu... mau.

Le gouvernement fédéral, pour payer les Esquimaux qui travaillent dans ses services, va jusqu'à les payer en leur donnant des notes de crédit dans les magasins de la Hudson Bay.

Le ministre a admis que la si...ion était intolérable et ... Québec fera tout en ...uvoir pour y mettre fin. ...i, le gouvernement du ...a établi un service de ...rovinciale pour rem- ... Gendarmerie royale; ...re des richesses na- ...ursuit des recher- ...niques et sociologi- ...t spécialistes étu- ...ement la langue ... Fort Chimo.

...man a souligné ...tuk, les Esqui- ...ondé leur pro- ...ulaire Desjar- ... coopérative ... d'établir un ... qui sera le ... de la Com- ... d'Hudson.

EDITION FINALE

OTTAWA, MARDI, 29 MARS 1960

EXPOSITION D'ART ESQUIMAU — Le premier ministre Diefenbaker a inauguré lundi soir une exposition d'art esquimau qui se tient à l'édifice de la faculté des arts, à l'Université d'Ottawa. Le premier ministre examine ici avec intérêt une peau d'ours polaire que lui présentent trois protégés du R.P. André Steinmann, o.m.i., missionnaire à Povugnituk, au Labrador. Ces trois Esquimaux sont des sculpteurs émérites qui on tété encouragés dans leur travail par le Père Steinmann. Celui-ci a contribué à l'organisation de cette exposition d'art esquimau. (Photo Champlain Marcil)

important dans le développement de la coopérative de Povungnituk. Son dévouement de plusieurs années lui valut des déboires qu'elle sut accepter dignement. Elle fut bafouée par un être avide de pouvoir, qui essaya même de porter contre elle, par l'intermédiaire des Inuit qu'elle avait si bien servis, des accusations diffamatoires. Elle mourut dans l'oubli... De temps en temps, je vais encore me recueillir sur sa tombe, pour m'inspirer du courage qu'elle a manifesté dans l'épreuve.

Lorsque je l'ai rencontrée, Mlle Le Vallée travaillait à l'Office provincial du Film. Avec enthousiasme et générosité, elle accepta de sacrifier ses moments de loisir pour essayer d'écouler une partie de notre inventaire. Elle y réussit à merveille en tenant une exposition au magasin Paquet. Elle s'était même débrouillée pour faire inaugurer l'exposition par la femme du Premier ministre alors au pouvoir. Nul doute que la présence de Mme Jean Lesage a contribué à attirer des acheteurs qui, autrement, ne se seraient peut-être pas déplacés pour venir admirer les oeuvres d'artistes esquimaux.

C'est aussi par l'intermédiaire de Mlle Le Vallée que je pus rencontrer le sénateur Cyrille Vaillancourt, qui délégua un comptable de la Fédération des Caisses populaires Desjardins pour démêler le fouillis de papiers de la coopérative de Povungnituk, afin d'établir ensuite un bilan financier. Quant au Mouvement coopératif québécois, il nous encourageait, mais sans jamais apporter d'aide efficace. En fait, ce fut le mouvement Desjardins qui nous appuya. Il nous aida de façon extraordinaire, allant même jusqu'à nous prêter un de ses inspecteurs qui se dévoua parmi nous, à Povungnituk, pendant deux ans.

Quant à moi, j'étais l'interprète et le conseiller de notre entreprise. Tous ensemble, nous essayions d'aider les Inuit à prendre en main leur coopérative. A cette époque, Mlle Le Vallée, n'ayant plus assez de temps à consacrer à nos affaires, demanda un congé à l'Office provincial du Film. Elle obtint du Premier ministre Jean Lesage l'autorisation de travailler à plein temps comme agent des ventes de notre coopérative. C'était là une aide directe que nous apportait le Gouvernement provincial. Nous en avions bien besoin, car déjà la coopérative s'était développée. Nous avions un atelier de gravure, un atelier de couture, un petit magasin où nous achetions les pièces d'artisanat de nos membres et vendions quelques articles.

Pour éviter la catastrophe du crédit consenti à nos membres, qui ne pouvaient pas toujours nous rembourser comme il l'aurait fallu, la Fédération des Caisses populaires Desjardins délégua M. Raymond Audet pour nous aider à fonder une Caisse populaire. Ce fut la première et unique Caisse populaire esquimaude, dont je devins le gérant bénévole. Pour mes services, on m'attribuait le salaire mirobolant d'un dollar par année — somme que je n'ai jamais voulu recevoir...

Thérèse Le Vallée continuait à se dévouer sans compter pour la cause des Inuit. C'est elle qui organisa, avec la collaboration de la laiterie Arctic, une rencontre des Inuit de Povungnituk avec les Québécois, lors du Carnaval de Québec de 1963. Ce fut là une heureuse initiative. Les gens ne demandaient qu'à mieux connaître ces Inuit venus du bout du monde, de sorte qu'ils furent en quelque sorte les grandes vedettes du Carnaval. A cette occasion, une exposition de gravures esquimaudes de Povungnituk fut organisée au Musée de Québec. De même, l'immeuble de l'Assuran-

Les directeurs de la première Caisse Populaire du Grand Nord, à Povungnituk.

ce-vie Desjardins avait ouvert ses portes à une exposition combinée de gravures et de sculptures de nos artistes. Comme on peut l'imaginer l'inévitable Bonhomme Carnaval vint nous rendre visite, accompagné de la reine et des duchesses. A cette occasion, une sculpture fut remise au sénateur Vaillancourt qui avait tant fait pour aider notre cause.

S'étant assuré la collaboration de la maison Birks, Mlle Le Vallée put organiser des expositions dans ses magasins de Montréal, de Toronto et de Québec — respective-

1963: visite à Québec pour le Carnaval. A gauche, Thérèse Le Vallée.

ment en mars 1964, octobre 1965 et septembre 1966. Chaque fois, deux Inuit choisis par la coopérative allaient donner des démonstrations de sculpture. La maison Birks réserva un accueil des plus chaleureux à nos Inuit, qui étaient accompagnés par le révérend Père Meeus. Celui-ci faisait fonction d'interprète dans le cadre des expositions, tandis que je restais à Povungnituk pour essayer de me rendre utile sur place.

* * *

Au cours de l'hiver 1966, le Gouvernement fédéral accepta enfin d'organiser une réunion générale de toutes les coopératives esquimaudes (19 en tout) à Povungnituk. C'est au cours de cette réunion que fut décidée la formation de fédérations pour les coopératives de l'Arctique. Mais la chose n'était pas si facile: il s'avérait indispensable de former trois fédérations, en raison des difficultés de communication. C'est-à-dire: une fédération pour l'Arctique québécois, qui serait facilitée par la législation coopérative qui existait déjà dans la province de Québec; une fédération pour l'Arctique central et une autre pour l'Arctique de l'ouest. Ces deux dernières devraient attendre, cependant, que l'administration des Territoires du Nord-Ouest établisse une législation pour les coopératives. Une fois ces trois fédérations fondées, il n'était que normal de songer à les grouper en une confédération.

On me demanda de fonder la Fédération des Coopératives du Nouveau-Québec. C'était très flatteur mais, ne me

La coopérative des sculpteurs esquimaux

Montréal (PC) — Après 22 ans d'apostolat missionnaire dans l'Arctique, le Père André Steinmann s'est fait marchand d'oeuvres d'art.

En colportant des sculptures esquimaudes, il s'est fixé deux objectifs précis : obtenir de meilleurs prix pour les sculpteurs et inculquer aux Esquimaux quelques notions sur les coopératives de mise en marché, pour leur société des sculpteurs de Povungnituk.

Une coopérative esquimaude

Etablie sur le littoral oriental de la Baie d'Hudson, cette coopérative a réalisé un chiffre d'affaires de $17,000 au cours de la première année qui a suivi sa création, voici trois ans.

Ce qui préoccupe le Père Steinmann, ce qui l'a poussé à établir cette coopérative de 20 sculpteurs, c'est que les Esquimaux ont constaté qu'il est plus profitable de produire en série de petites sculptures à prix modique que de créer de pièces plus grosses.

"La demande pour les sc[illegible] tures à prix modiques est [illegible] grande que la demande [illegible] les pièces plus grosses. [illegible] si cette tendance deva[illegible] centuer, les Esquim[illegible] raient amenés à prod[illegible] pièces décoratives sa[illegible] qui, en peu de temp[illegible] déconsidérées sur [illegible] et compromettrai[illegible] valable.

Pour l'instant, [illegible] re Steinmann, [illegible] esquimaux ne [illegible] part équitable [illegible] te. "En moy[illegible] ne reçoit q[illegible] prix de ver[illegible] vres qui [illegible] fois plus [illegible] l'artiste. [illegible] teur d[illegible] cent d[illegible]

C'e[illegible] quel[illegible] cor[illegible] ar[illegible] r[illegible]

René Lévesque : Il faut permettre aux Esquimaux de s'administrer eux-mêmes

Le ministre des Richesses naturelles, M. René Lévesque, a inauguré hier soir à l'hôtel Reine-Elizabeth une exposition d'art eskimo. L'exposition qui se termine le 20 mai a été organisée par la Centrale d'artisanat du Québec et la Coopérative de Povungnituk, et présente une quantité importante de toiles et de sculptures réalisées par les Esquimaux du nord québecois. M. René Lévesque, que l'on aperçoit ci-dessus près d'une des oeuvres faisant partie de l'exposition, a souligné lors de l'inauguration que la Coopérative de Povungnituk, à l'intérieur de laquelle travaillent les Esquimaux, est une coopérative indépendante, administrée par les Esquimaux. "Cette coopérative est l'image de nos projets pour les Esquimaux, que nous voulons intégrer sans les forcer, en leur permettant de s'administrer eux-mêmes et de jouir de l'indépendance, a dit M. Lévesque. Avec eux, nous apprendrons ce qu'est un pays nordique."

15 mai 1964

UNE CAISSE POPULAIRE A POVUNGNITUK AFFIRME :

Les coopérateurs du Québec ont trop négligé leurs compatriotes esquimaux

Les Québécois, trop longtemps aux prises avec leurs propres problèmes, ont inconsciemment négligé leurs compatriotes, les Esquimaux du Grand Nord québécois. Aujourd'hui, forts de leur propre expérience et alertés par les pères missionnaires de notre Grand Nord, ils prennent conscience de leurs obligations.

"Les problèmes économiques et sociaux qui entravent le développement des Esqui maux, déclarait M. Paul-Emile Charron, prési dent du comité régional de la Coopération d Grand Nord québécois lors d'une conférenc de presse au Cercle universitaire, vendre dernier, sont les mêmes qu'ont à résoud les Canadiens français dans le contexte nadien. Il faut surtout éviter une tutelle pa lysante qui freine toute possibilité d'év tion vers un essor économique exclusivem esquimau. On le peut par la coopération donne aux Esquimaux les moyens de s'o niser en ayant le légitime orgueil de g eux-mêmes leurs propres affaires".

C'est dans cet esprit que le Père A Steinmann, O.M.I., missonnaire dans le Nord québécois depuis 25 ans, a fondé a trois ans, la Société coopérative de gnituk, la seule coopérative esquimaude pendante au Canada. Cette formule a ét tée avec enthousiasme par les Esquimau coopérative groupe des artistes sculpt graveurs; elle compte une section de où l'on confectionne des vêtements esquimau dont la popularité est a s'étendre de plus en plus tant par le que par leur confort si bien adapté climat. Sociétaires et dirigeants de pérative sont tous Esquimaux, exce de Mlle Thérèse Le Vallée, la g ventes.

A POVUNGNITUK

En septembre dernier, la prem populaire Desjardins esquimaude s Povungnituk. Son conseil d'admi

commission de crédit et son conseil de surveillance ne comptent que des Esquimaux à deux exceptions près: le Père Steinmann agit comme gérant et M. J. D. Furneaux, administrateur des affaires du nord à Povungnituk, de surveillance. M. Ray- service d'ins- res on, ont aisse aisse inu- e de nous per- sont

perdues seil de avec le ormé un Comité nd Nord la coopé-

toujours an Lesage, c'est avec chesses na- inistre, M. nt impliqué québécois. ntend mener économique ge de Povun- me le village maux comme pe de ce que es Esquimaux. té au Carnaval de choix, com- un groupe de neaux, adminis- Mme Furneaux.

Le Petit Journal - semaine 24 mars 1968

D'après le père Steinman

Les Esquimaux foncent dans le tas et les jours de la Hudson Bay sont comptés

par Léon Bernard

La Compagnie de la Baie d'Hudson, plus familièrement appelée "la Hudson Bay", n'a plus qu'à bien se tenir, car les Esquimaux sont en train d'acquérir leur indépendance économique. A Lévis, six ou sept familles natives du Nord québécois seront bientôt installées, pour une durée de deux ans, afin d'apprendre à diriger leurs affaires.

Et comment ces Esquimaux vont-ils y parvenir ?

En s'entraînant à tout faire par eux-mêmes, en étudiant les marchés, en se familiarisant avec la fabrication des produits de base, en apprenant à calculer les prix de revient, etc... Tout cela, en vue de monnayer le potentiel des quelques industries qu'ils pourront éventuellement développer chez eux, dans le Grand Nord, à même leur artisanat et les ressources que la nature met à leur disposition : chasse et pêche, sculpture et gravure esquimaudes, dessins, confection artisanale, etc...

Mme JESSIE SNOWBALL, de Fort-Chimo, arbore un large sourire. Elle se sent aussi à son aise à Lévis que dans son patelin.

Les Esquimaux prendront leurs affaires en main

Pour les aider à atteindre ce but, la Fédération des coopératives du Nouveau-Québec, qui a pris en main l'économie du Nord québécois, a centralisé à Lévis, dans une maison mise à sa disposition par le mouvement coopératif Desjardins, toute la production esquimaude pour la distribuer sur le marché québécois. Elle a invité quelques familles à venir s'initier sur les lieux, pour étudier le processus complexe de l'organisation commerciale idéale.

Deux familles sont déjà installées; les autres suivront dans les prochains jours.

Fondée en mai 1967, la Fédération des coopératives du Nouveau-Québec comprend les coopératives des villages esquimaux de Povungnituk, Ivugivik, Inudjuak, Poste-de-la-Baleine, Fort-Chimo, Port-Nouveau-Québec, Sulgluk, et Payne Bay. Le père André Steinman, o.m.i., qui a eu l'idée de fédérer ces coopératives, s'est assuré l'appui du mouvement coopératif Desjardins et la collaboration d'un expert du nord esquimau, M. Pierre Murdock, qui se dévoue entièrement, depuis deux ans, à l'amélioration de la vie et de l'économie de ces populations nordiques.

Un Terreneuvien, M. Bruce Myers, familier avec la langue esquimaude, devint son assistant. Enfin, grâce à de généreux octrois de la province de Québec "sans laquelle rien n'existerait encore de semblable", de dire M. Murdoch, la fédération s'est mise à fonctionner.

Une brève conversation avec le père Steinman, de passage à la centrale de Lévis, m'a appris que, dans cinq ou dix ans, la Hudson Bay ne fera plus vieux os chez les peuples esquimaux du Nord québécois.

"Depuis trop longtemps cette compagnie exploite ces gens, de dire le père Steinman. Ses jours sont comptés, car nous avons décidé d'entraîner les Esquimaux à tout faire par eux-mêmes."

Et Bruce Myers, un jeune homme âgé de 27 à 30 ans, qui a vécu assez longtemps avec les Esquimaux de Fort-Chimo pour connaître leur mode de vie, leur langue et leurs possibilités, d'ajouter : "Nous leur apprendrons, ici même, à Lévis, la façon de développer la production massive et l'industrie artisanale.

"Notre but premier est de créer une économie dans le Nord, et d'élever le standard de vie des Esquimaux en leur apprenant à exploiter eux-mêmes leur potentiel, en leur enseignant à produire. Là-bas tout est cher. Il est difficile de développer, de produire, de projeter. Nous voulons donc créer au Nouveau-Québec un revenu annuel de $5,000 par famille. Actuellement, il n'y a presque rien..."

La Fédération des coopératives du Nouveau-Québec viendra-t-elle à bout de la trop célèbre Hudson Bay Co. que fondèrent en 1670, les aventuriers Radisson et des Groseilliers, alors au service de l'Angleterre ?

Dans la maison de la Fédération des coopératives du Grand Nord, à Lévis, de gauche à droite : PIERRE MURDOCK, gérant général, BOBBY SNOWBALL, artisan esquimau, BRUCE MYERS, assistant-gérant.

sentant aucune aptitude pour l'administration, je déclinai l'offre. Il était donc urgent de me mettre, avec l'aide de la Fédération des Caisses populaires et de la Conférence de Coopération du Québec, à la recherche d'un candidat capable de fonder et d'administrer cette Fédération.

Après avoir vu plusieurs personnes, je crus avoir trouvé l'homme que je cherchais, au cours de l'été 1967. Je le mis au courant de ce que nous attendions de lui. La proposition lui plut et, quelque temps après, il était en poste auprès des Inuit. On a déjà dit, avec beaucoup d'audace, que c'étaient les Inuit qui l'avaient placé là où il se trouve. Ce n'est pas vrai. Bien sûr, les Inuit de Povungnituk lui ont demandé s'il accepterait de travailler pour eux, mais c'est la C.C.C. (Conférence canadienne de coopération) qui a engagé ce Monsieur, sur ma recommandation, pour essayer de fonder la Fédération des Coopératives du Nouveau-Québec.

L'histoire peut être écrite de différentes façons — et elle l'est —, mais il me semble important de respecter les faits et de les présenter tels qu'on les a vécus... Lorsque je fus mis à la porte du mouvement, je le dus aux manoeuvres et aux interventions de ce Monsieur (on comprendra que je refuse de le nommer!) qui avait sur la formule coopérative des vues diamétralement opposées aux miennes.

Comme je n'écris pas cet ouvrage pour essayer de défendre mes idées, je ne veux pas entamer ici de polémique. Je puis, cependant, exposer les intentions que j'avais en fondant la coopérative de Povungnituk — sans prétendre, pour autant, que mes idées aient été valables...

La lecture de l'ouvrage de feu Mgr Coady, *Master of Their Own Destiny,* m'avait frappé à la façon d'une révélation. Et c'est à partir de ce moment que je m'étais mis à

"La Coopérative devait être centrée sur l'être humain, toute au service de ses membres."

1966: réunion des Coopératives à Povungnituk. A ma gauche, Tamusse Tooloogak, premier gérant de la Caisse Populaire de Povungnituk.

croire que la formule coopérative était la meilleure solution pour amener les sociétés esquimaudes à prendre en main leur propre destin.

Telle que je la concevais, la coopérative devait être centrée sur l'être humain, toute au service de ses membres. Ici, le dollar n'est pas le but: c'est tout juste le moyen de servir le groupe. De même, je voyais la coopérative comme une organisation libre de toute idéologie politique — et, plus encore, de racisme ou de bigoterie. Elle avait pour raison d'être la libération économique de ses membres, et non la libération ou l'indépendance politique.

Mais il me fallut bien vite déchanter. Je m'aperçus que dans le monde capitaliste de l'Amérique du Nord, la vraie formule coopérative n'avait pas de place — et presque pas de sens dans une société où c'est le tout puissant dollar qui est dieu et maître. L'être humain est dévalorisé; ce n'est qu'un pion sur l'immense échiquier des intérêts financiers. Ce n'est qu'une infime cellule au service des omnipotents personnages qui dirigent de grosses industries ou des entreprises commerciales géantes, manipulent des minorités, prennent les commandes des formations syndicales ou politiques... Mais il est vrai que cette situation n'est pas particulière à l'Amérique du Nord. En fait, c'est une maladie de l'humanité tout entière — seulement, il semble qu'en Amérique du Nord le mal soit plus apparent qu'ailleurs.

Il aurait fallu prévoir que, même dans l'Arctique, même aux confins de ce continent, la formule coopérative que je souhaitais était, à plus ou moins brève échéance, vouée à l'échec. En peu de temps, il ne s'agissait plus de coopérative, mais d'organisation capitaliste. Au fond, c'était probablement la seule issue logique.. et j'en étais quitte pour avoir fait un beau rêve utopique.

Mis à part les Inuit qui tirent leurs profits directement de la prétendue coopérative, la masse des Inuit n'est motivée que par l'appât de la marchandise. Eux aussi, comme les Blancs, vont acheter ce qu'ils convoitent, là où cela se trouve: Eaton, Simpsons, La Baie, Société des Alcools... aussi bien qu'à la coopérative. La famille esquimaude d'aujourd'hui ne manque pas d'argent pour s'offrir n'importe quoi.

Sous l'impulsion de la Fédération des Coopératives du Nouveau-Québec, il y a eu tentative de prendre le contrôle de tous les services municipaux, voire même de mouvements politiques. Je crois que cela ne correspondait pas tout à fait à l'esprit original de la formule coopérative. D'ailleurs, on peut se demander quel avenir est réservé à un mouvement qui dépend continuellement de subventions et d'emprunts. L'avenir le dira — bien mieux que toutes les prévisions d'administrateurs de fantaisie.

Maintenant que je me suis quelque peu retiré — certains diraient qu'ils ont accroché leurs patins —, j'essaie de prendre du recul pour distinguer le résultat possible de mon travail auprès des Inuit. J'ai beau tourner dans tous les sens les éléments dont je dispose, je ne peux pas tirer grand chose de mes analyses. Je suis trop impliqué pour être bon juge. De toute façon, il me semble impossible d'attribuer à un seul individu les succès ou les échecs d'une entreprise commune. La seule certitude objective qui me reste, c'est d'avoir contribué à ouvrir les yeux des Inuit, à leur apprendre à discuter au lieu d'accepter aveuglément les assertions du premier venu.

La petite barbe

Peut-être, si les circonstances le permettent, irai-je finir ma vie parmi ces gens que j'ai tant aimés. Je ne vois pas de meilleur endroit où laisser mes os... Car je me sens encore capable de faire quelque chose pour eux; je ne demande toujours qu'à les aider — selon leurs désirs et dans la mesure de mes capacités. Il ne faut pas s'imposer à eux, mais attendre qu'ils nous appellent... Et je suis prêt.

Dessins de l'auteur.

"Peut-être irais-je finir ma vie parmi ces gens que j'ai tant aimés."

Table des matières

Achevé d'imprimer sur les presses de
L'IMPRIMERIE ELECTRA *
pour
LES EDITIONS DE L'HOMME LTÉE

* Division du groupe Sogides Ltée

Ouvrages parus chez les Éditeurs du groupe Sogides

Ouvrages parus aux ÉDITIONS DE L'HOMME

ART CULINAIRE

Art d'apprêter les restes (L'), S. Lapointe, **4.00**
Art de la table (L'), M. du Coffre, **$5.00**
Art de vivre en bonne santé (L'), Dr W. Leblond, **3.00**
Boîte à lunch (La), L. Lagacé, **4.00**
101 omelettes, M. Claude, **3.00**
Cocktails de Jacques Normand (Les), J. Normand, **4.00**
Congélation (La), S. Lapointe, **4.00**
Conserves (Les), Soeur Berthe, **5.00**
Cuisine chinoise (La), L. Gervais, **4.00**
Cuisine de maman Lapointe (La), S. Lapointe, **3.00**
Cuisine de Pol Martin (La), Pol Martin, **4.00**
Cuisine des 4 saisons (La), Mme Hélène Durand-LaRoche, **4.00**
Cuisine en plein air, H. Doucet, **3.00**
Cuisine française pour Canadiens, R. Montigny, **4.00**
Cuisine italienne (La), Di Tomasso, **3.00**
Diététique dans la vie quotidienne, L. Lagacé, **4.00**
En cuisinant de 5 à 6, J. Huot, **3.00**
Fondues et flambées de maman Lapointe, S. Lapointe, **4.00**
Fruits (Les), J. Goode, **5.00**
Grande Cuisine au Pernod (La), S. Lapointe, **3.00**
Hors-d'oeuvre, salades et buffets froids, L. Dubois, **3.00**
Légumes (Les), J. Goode, **5.00**
Madame reçoit, H.D. LaRoche, **4.00**
Mangez bien et rajeunissez, R. Barbeau, **3.00**
Poissons et fruits de mer, Soeur Berthe, **4.00**
Recettes à la bière des grandes cuisines Molson, M.L. Beaulieu, **4.00**
Recettes au "blender", J. Huot, **4.00**
Recettes de gibier, S. Lapointe, **4.00**
Recettes de Juliette (Les), J. Huot, **4.00**
Recettes de maman Lapointe, S. Lapointe, **3.00**
Régimes pour maigrir, M.J. Beaudoin, **4.00**
Tous les secrets de l'alimentation, M.J. Beaudoin, **2.50**
Vin (Le), P. Petel, **3.00**
Vins, cocktails et spiritueux, G. Cloutier, **3.00**
Vos vedettes et leurs recettes, G. Dufour et G. Poirier, **3.00**
Y'a du soleil dans votre assiette, Georget-Berval-Gignac, **3.00**

DOCUMENTS, BIOGRAPHIE

Architecture traditionnelle au Québec (L'), Y. Laframboise, **10.00**
Art traditionnel au Québec (L'), Lessard et Marquis, **10.00**
Artisanat québécois 1. Les bois et les textiles, C. Simard, **12.00**
Artisanat québécois 2. Les arts du feu, C. Simard, **12.00**
Acadiens (Les), E. Leblanc, **2.00**
Bien-pensants (Les), P. Berton, **2.50**
Ce combat qui n'en finit plus, A. Stanké,-J.L. Morgan, **3.00**

Charlebois, qui es-tu?, B. L'Herbier, **3.00**

Comité (Le), M. et P. Thyraud de Vosjoli, **8.00**

Des hommes qui bâtissent le Québec, collaboration, **3.00**

Drogues, J. Durocher, **3.00**

Epaves du Saint-Laurent (Les), J. Lafrance, **3.00**

Ermite (L'), L. Rampa, **4.00**

Fabuleux Onassis (Le), C. Cafarakis, **4.00**

Félix Leclerc, J.P. Sylvain, **2.50**

Filière canadienne (La), J.-P. Charbonneau, **12.95**

Francois Mauriac, F. Seguin, **1.00**

Greffes du coeur (Les), collaboration, **2.00**

Han Suyin, F. Seguin, **1.00**

Hippies (Les), Time-coll., **3.00**

Imprévisible M. Houde (L'), C. Renaud, **2.00**

Insolences du Frère Untel, F. Untel, **2.00**

J'aime encore mieux le jus de betteraves, A. Stanké, **2.50**

Jean Rostand, F. Seguin, **1.00**

Juliette Béliveau, D. Martineau, **3.00**

Lamia, P.T. de Vosjoli, **5.00**

Louis Aragon, F. Seguin, **1.00**

Magadan, M. Solomon, **7.00**

Maison traditionnelle au Québec (La), M. Lessard, G. Vilandré, **10.00**

Maîtresse (La), James et Kedgley, **4.00**

Mammifères de mon pays, Duchesnay-Dumais, **3.00**

Masques et visages du spiritualisme contemporain, J. Evola, **5.00**

Michel Simon, F. Seguin, **1.00**

Michèle Richard raconte Michèle Richard, M. Richard, **2.50**

Mon calvaire roumain, M. Solomon, **8.00**

Mozart, raconté en 50 chefs-d'oeuvre, P. Roussel, **5.00**

Nationalisation de l'électricité (La), P. Sauriol, **1.00**

Napoléon vu par Guillemin, H. Guillemin, **2.50**

Objets familiers de nos ancêtres, L. Vermette, N. Genêt, L. Décarie-Audet, **6.00**

On veut savoir, (4 t.), L. Trépanier, **1.00 ch.**

Option Québec, R. Lévesque, **2.00**

Pour entretenir la flamme, L. Rampa, **4.00**

Pour une radio civilisée, G. Proulx, **2.00**

Prague, l'été des tanks, collaboration, **3.00**

Premiers sur la lune, Armstrong-Aldrin-Collins, **6.00**

Prisonniers à l'Oflag 79, P. Vallée, **1.00**

Prostitution à Montréal (La), T. Limoges, **1.50**

Provencher, le dernier des coureurs des bois, P. Provencher, **6.00**

Québec 1800, W.H. Bartlett, **15.00**

Rage des goof-balls (La), A. Stanké, M.J. Beaudoin, **1.00**

Rescapée de l'enfer nazi, R. Charrier, **1.50**

Révolte contre le monde moderne, J. Evola, **6.00**

Riopelle, G. Robert, **3.50**

Struma (Le), M. Solomon, **7.00**

Terrorisme québécois (Le), Dr G. Morf, **3.00**

Ti-blanc, mouton noir, R. Laplante, **2.00**

Treizième chandelle (La), L. Rampa, **4.00**

Trois vies de Pearson (Les), Poliquin-Beal, **3.00**

Trudeau, le paradoxe, A. Westell, **5.00**

Un peuple oui, une peuplade jamais! J. Lévesque, **3.00**

Un Yankee au Canada, A. Thério, **1.00**

Une culture appelée québécoise, G. Turi, **2.00**

Vizzini, S. Vizzini, **5.00**

Vrai visage de Duplessis (Le), P. Laporte, **2.00**

ENCYCLOPEDIES

Encyclopédie de la maison québécoise, Lessard et Marquis, **8.00**

Encyclopédie des antiquités du Québec, Lessard et Marquis, **7.00**

Encyclopédie des oiseaux du Québec, W. Earl Godfrey, **8.00**

Encyclopédie du jardinier horticulteur, W.H. Perron, **8.00**

Encyclopédie du Québec, Vol. I et Vol. II, L. Landry, **6.00 ch.**

ESTHETIQUE ET VIE MODERNE

Cellulite (La), Dr G.J. Léonard, **4.00**
Chirurgie plastique et esthétique (La), Dr A. Genest, **2.00**
Embellissez votre corps, J. Ghedin, **2.00**
Embellissez votre visage, J. Ghedin, **1.50**
Etiquette du mariage, Fortin-Jacques, Farley, **4.00**
Exercices pour rester jeune, T. Sekely, **3.00**
Exercices pour toi et moi, J. Dussault-Corbeil, **5.00**
Face-lifting par l'exercice (Le), S.M. Rungé, **4.00**
Femme après 30 ans (La), N. Germain, **3.00**
Femme émancipée (La), N. Germain et L. Desjardins, **2.00**
Leçons de beauté, E. Serei, **2.50**
Médecine esthétique (La), Dr G. Lanctôt, **5.00**
Savoir se maquiller, J. Ghedin, **1.50**
Savoir-vivre, N. Germain, **2.50**
Savoir-vivre d'aujourd'hui (Le), M.F. Jacques, **3.00**
Sein (Le), collaboration, **2.50**
Soignez votre personnalité, messieurs, E. Serei, **2.00**
Vos cheveux, J. Ghedin, **2.50**
Vos dents, Archambault-Déom, **2.00**

LINGUISTIQUE

Améliorez votre français, J. Laurin, **4.00**
Anglais par la méthode choc (L'), J.L. Morgan, **3.00**
Corrigeons nos anglicismes, J. Laurin, **4.00**
Dictionnaire en 5 langues, L. Stanké, **2.00**
Petit dictionnaire du joual au français, A. Turenne, **3.00**
Savoir parler, R.S. Catta, **2.00**
Verbes (Les), J. Laurin, **4.00**

LITTERATURE

Amour, police et morgue, J.M. Laporte, **1.00**
Bigaouette, R. Lévesque, **2.00**
Bousille et les justes, G. Gélinas, **3.00**
Berger (Les), M. Cabay-Marin, Ed. TM, **5.00**
Candy, Southern & Hoffenberg, **3.00**
Cent pas dans ma tête (Les), P. Dudan, **2.50**
Commettants de Caridad (Les), Y. Thériault, **2.00**
Des bois, des champs, des bêtes, J.C. Harvey, **2.00**
Ecrits de la Taverne Royal, collaboration, **1.00**
Exodus U.K., R. Rohmer, **8.00**
Exxoneration, R. Rohmer, **7.00**
Homme qui va (L'), J.C. Harvey, **2.00**
J'parle tout seul quand j'en narrache, E. Coderre, **3.00**
Malheur a pas des bons yeux (Le), R. Lévesque, **2.00**
Marche ou crève Carignan, R. Hollier, **2.00**
Mauvais bergers (Les), A.E. Caron, **1.00**
Mes anges sont des diables, J. de Roussan, **1.00**
Mon 29e meurtre, Joey, **8.00**
Montréalités, A. Stanké, **1.50**
Mort attendra (La), A. Malavoy, **1.00**
Mort d'eau (La), Y. Thériault, **2.00**
Ni queue, ni tête, M.C. Brault, **1.00**
Pays voilés, existences, M.C. Blais, **1.50**
Pomme de pin, L.P. Dlamini, **2.00**
Printemps qui pleure (Le), A. Thério, **1.00**
Propos du timide (Les), A. Brie, **1.00**
Séjour à Moscou, Y. Thériault, **2.00**
Tit-Coq, G. Gélinas, **4.00**
Toges, bistouris, matraques et soutanes, collaboration, **1.00**
Ultimatum, R. Rohmer, **6.00**
Un simple soldat, M. Dubé, **4.00**
Valérie, Y. Thériault, **2.00**
Vertige du dégoût (Le), E.P. Morin, **1.00**

LIVRES PRATIQUES – LOISIRS

Aérobix, Dr P. Gravel, **3.00**
Alimentation pour futures mamans, T. Sekely et R. Gougeon, **4.00**
Améliorons notre bridge, C. Durand, **6.00**
Apprenez la photographie avec Antoine Desilets, A. Desilets, **5.00**

Arbres, les arbustes, les haies (Les), P. Pouliot, **7.00**
Armes de chasse (Les), Y. Jarrettie, **3.00**
Astrologie et l'amour (L'), T. King, **6.00**
Bougies (Les), W. Schutz, **4.00**
Bricolage (Le), J.M. Doré, **4.00**
Bricolage au féminin (Le), J.-M. Doré, **3.00**
Bridge (Le), V. Beaulieu, **4.00**
Camping et caravaning, J. Vic et R. Savoie, **2.50**
Caractères par l'interprétation des visages, (Les), L. Stanké, **4.00**
Ciné-guide, A. Lafrance, **3.95**
Chaînes stéréophoniques (Les), G. Poirier, **6.00**
Cinquante et une chansons à répondre, P. Daigneault, **3.00**
Comment amuser nos enfants, L. Stanké, **4.00**
Comment tirer le maximum d'une mini-calculatrice, H. Mullish, **4.00**
Conseils à ceux qui veulent bâtir, A. Poulin, **2.00**
Conseils aux inventeurs, R.A. Robic, **3.00**
Couture et tricot, M.H. Berthouin, **2.00**
Dictionnaire des mots croisés, noms propres, collaboration, **6.00**
Dictionnaire des mots croisés, noms communs, P. Lasnier, **5.00**
Fins de partie aux dames, H. Tranquille, G. Lefebvre, **4.00**
Fléché (Le), L. Lavigne et F. Bourret, **4.00**
Fourrure (La), C. Labelle, **4.00**
Guide complet de la couture (Le), L. Chartier, **4.00**
Guide de la secrétaire, M. G. Simpson, **6.00**
Hatha-yoga pour tous, S. Piuze, **4.00**
8/Super 8/16, A. Lafrance, **5.00**
Hypnotisme (L'), J. Manolesco, **3.00**
Information Voyage, R. Viau et J. Daunais, Ed. TM, **6.00**
Interprétez vos rêves, L. Stanké, **4.00**
J'installe mon équipement stéréo, T. I et II, J.M. Doré, **3.00 ch.**
Jardinage (Le), P. Pouliot, **4.00**
Je décore avec des fleurs, M. Bassili, **4.00**
Je développe mes photos, A. Desilets, **6.00**
Je prends des photos, A. Desilets, **6.00**
Jeux de cartes, G. F. Hervey, **10.00**
Jeux de société, L. Stanké, **3.00**
Lignes de la main (Les), L. Stanké, **4.00**
Magie et tours de passe-passe, I. Adair, **4.00**
Massage (Le), B. Scott, **4.00**
Météo (La), A. Ouellet, **3.00**
Nature et l'artisanat (La), P. Roy, **4.00**
Noeuds (Les), G.R. Shaw, **4.00**
Origami I, R. Harbin, **3.00**
Origami II, R. Harbin, **3.00**
Ouverture aux échecs (L'), C. Coudari, **4.00**
Parties courtes aux échecs, H. Tranquille, **5.00**
Petit manuel de la femme au travail, L. Cardinal, **4.00**
Photo-guide, A. Desilets, **3.95**
Plantes d'intérieur (Les), P. Pouliot, **7.00**
Poids et mesures, calcul rapide, L. Stanké, **3.00**
Tapisserie (La), T.-M. Perrier, N.-B. Langlois, **5.00**
Taxidermie (La), J. Labrie, **4.00**
Technique de la photo, A. Desilets, **6.00**
Techniques du jardinage (Les), P. Pouliot, **6.00**
Tenir maison, F.G. Smet, **3.00**
Tricot (Le), F. Vandelac, **4.00**
Vive la compagnie, P. Daigneault, **3.00**
Vivre, c'est vendre, J.M. Chaput, **4.00**
Voir clair aux dames, H. Tranquille, **3.00**
Voir clair aux échecs, H. Tranquille et G. Lefebvre, **4.00**
Votre avenir par les cartes, L. Stanké, **4.00**
Votre discothèque, P. Roussel, **4.00**
Votre pelouse, P. Pouliot, **5.00**

LE MONDE DES AFFAIRES ET LA LOI

ABC du marketing (L'), A. Dahamni, **3.00**
Bourse (La), A. Lambert, **3.00**
Budget (Le), collaboration, **4.00**
Ce qu'en pense le notaire, Me A. Senay, **2.00**
Connaissez-vous la loi? R. Millet, **3.00**
Dactylographie (La), W. Lebel, **2.00**
Dictionnaire de la loi (Le), R. Millet, **2.50**
Dictionnaire des affaires (Le), W. Lebel, **3.00**
Dictionnaire économique et financier, E. Lafond, **4.00**
Divorce (Le), M. Champagne et Léger, **3.00**
Guide de la finance (Le), B. Pharand, **2.50**
Initiation au système métrique, L. Stanké, **5.00**
Loi et vos droits (La), Me P.A. Marchand, **5.00**
Savoir organiser, savoir décider, G. Lefebvre, **4.00**
Secrétaire (Le/La) bilingue, W. Lebel, **2.50**

PATOF

Cuisinons avec Patof, J. Desrosiers, **1.29**
Patof raconte, J. Desrosiers, **0.89**
Patofun, J. Desrosiers, **0.89**

SANTE, PSYCHOLOGIE, EDUCATION

Activité émotionnelle (L'), P. Fletcher, **3.00**
Allergies (Les), Dr P. Delorme, **4.00**
Apprenez à connaître vos médicaments, R. Poitevin, **3.00**
Caractères et tempéraments, C.-G. Sarrazin, **3.00**
Comment animer un groupe, collaboration, **4.00**
Comment nourrir son enfant, L. Lambert-Lagacé, **4.00**
Comment vaincre la gêne et la timidité, R.S. Catta, **3.00**
Communication et épanouissement personnel, L. Auger, **4.00**
Complexes et psychanalyse, P. Valinieff, **4.00**
Contact, L. et N. Zunin, **6.00**
Contraception (La), Dr L. Gendron, **3.00**
Cours de psychologie populaire, F. Cantin, **4.00**
Dépression nerveuse (La), collaboration, **4.00**
Développez votre personnalité, vous réussirez, S. Brind'Amour, **3.00**
Douze premiers mois de mon enfant (Les), F. Caplan, **10.00**
Dynamique des groupes, Aubry-Saint-Arnaud, **3.00**
En attendant mon enfant, Y.P. Marchessault, **4.00**
Femme enceinte (La), Dr R. Bradley, **4.00**
Guérir sans risques, Dr E. Plisnier, **3.00**
Guide des premiers soins, Dr J. Hartley, **4.00**
Guide médical de mon médecin de famille, Dr M. Lauzon, **3.00**
Langage de votre enfant (Le), C. Langevin, **3.00**
Maladies psychosomatiques (Les), Dr R. Foisy, **3.00**
Maman et son nouveau-né (La), T. Sekely, **3.00**
Mathématiques modernes pour tous, G. Bourbonnais, **4.00**
Méditation transcendantale (La), J. Forem, **6.00**
Mieux vivre avec son enfant, D. Calvet, **4.00**
Parents face à l'année scolaire (Les), collaboration, **2.00**
Personne humaine (La), Y. Saint-Arnaud, **4.00**
Pour bébé, le sein ou le biberon, Y. Pratte-Marchessault, **4.00**
Pour vous future maman, T. Sekely, **3.00**
15/20 ans, F. Tournier et P. Vincent, **4.00**
Relaxation sensorielle (La), Dr P. Gravel, **3.00**
S'aider soi-même, L. Auger, **4.00**
Soignez-vous par le vin, Dr E. A. Maury, **4.00**
Volonté (La), l'attention, la mémoire, R. Tocquet, **4.00**
Vos mains, miroir de la personnalité, P. Maby, **3.00**
Votre personnalité, votre caractère, Y. Benoist-Morin, **3.00**
Yoga, corps et pensée, B. Leclerq, **3.00**
Yoga, santé totale pour tous, G. Lescouflar, **3.00**

SEXOLOGIE

Adolescent veut savoir (L'), Dr L. Gendron, **3.00**
Adolescente veut savoir (L'), Dr L. Gendron, **3.00**
Amour après 50 ans (L'), Dr L. Gendron, **3.00**
Couple sensuel (Le), Dr L. Gendron, **3.00**
Déviations sexuelles (Les), Dr Y. Léger, **4.00**
Femme et le sexe (La), Dr L. Gendron, **3.00**
Helga, E. Bender, **6.00**
Homme et l'art érotique (L'), Dr L. Gendron, **3.00**
Madame est servie, Dr L. Gendron, **2.00**
Maladies transmises par relations sexuelles, Dr L. Gendron, **2.00**
Mariée veut savoir (La), Dr L. Gendron, **3.00**
Ménopause (La), Dr L. Gendron, **3.00**
Merveilleuse histoire de la naissance (La), Dr L. Gendron, **4.50**
Qu'est-ce qu'un homme, Dr L. Gendron, **3.00**
Qu'est-ce qu'une femme, Dr L. Gendron, **4.00**
Quel est votre quotient psycho-sexuel? Dr L. Gendron, **3.00**
Sexualité (La), Dr L. Gendron, **3.00**
Teach-in sur la sexualité, Université de Montréal, **2.50**
Yoga sexe, Dr L. Gendron et S. Piuze, **4.00**

SPORTS (collection dirigée par Louis Arpin)

ABC du hockey (L'), H. Meeker, **4.00**
Aikido, au-delà de l'agressivité, M. Di Villadorata, **4.00**
Bicyclette (La), J. Blish, **4.00**
Comment se sortir du trou au golf, Brien et Barrette, **4.00**
Courses de chevaux (Les), Y. Leclerc, **3.00**

Devant le filet, J. Plante, **4.00**
D. Brodeur, **4.00**
Entraînement par les poids et haltères, F. Ryan, **3.00**
Expos, cinq ans après, D. Brodeur, J.-P. Sarrault, **3.00**
Football (Le), collaboration, **2.50**
Football professionnel, J. Séguin, **3.00**
Guide de l'auto (Le) (1967), J. Duval, **2.00**
(1968-69-70-71), 3.00 chacun
Guy Lafleur, Y. Pedneault et D. Brodeur, **4.00**
Guide du judo, au sol (Le), L. Arpin, **4.00**
Guide du judo, debout (Le), L. Arpin, **4.00**
Guide du self-defense (Le), L. Arpin, **4.00**
Guide du trappeur, P. Provencher, **4.00**
Initiation à la plongée sous-marine, R. Goblot, **5.00**
J'apprends à nager, R. Lacoursière, **4.00**
Jocelyne Bourassa, J. Barrette et D. Brodeur, **3.00**
Jogging (Le), R. Chevalier, **5.00**
Karaté (Le), Y. Nanbu, **4.00**
Kung-fu, R. Lesourd, **5.00**
Livre des règlements, LNH, **1.50**
Lutte olympique (La), M. Sauvé, **4.00**
Match du siècle: Canada-URSS, D. Brodeur, G. Terroux, **3.00**
Mon coup de patin, le secret du hockey, J. Wild, **3.00**
Moto (La), Duhamel et Balsam, **4.00**
Natation (La), M. Mann, **2.50**
Natation de compétition (La), R. Lacoursière, **3.00**
Parachutisme (Le), C. Bédard, **5.00**
Pêche au Québec (La), M. Chamberland, **5.00**
Petit guide des Jeux olympiques, J. About, M. Duplat, **2.00**
Puissance au centre, Jean Béliveau, H. Hood, **3.00**
Raquette (La), Osgood et Hurley, **4.00**
Ski (Le), W. Schaffler-E. Bowen, **3.00**
Ski de fond (Le), J. Caldwell, **4.00**
Soccer, G. Schwartz, **3.50**
Stratégie au hockey (La), J.W. Meagher, **3.00**
Surhommes du sport, M. Desjardins, **3.00**
Techniques du golf, L. Brien et J. Barrette, **4.00**
Techniques du tennis, Ellwanger, **4.00**
Tennis (Le), W.F. Talbert, **3.00**
Tous les secrets de la chasse, M. Chamberland, **3.00**
Tous les secrets de la pêche, M. Chamberland, **3.00**
36-24-36, A. Coutu, **3.00**
Troisième retrait (Le), C. Raymond, M. Gaudette, **3.00**
Vivre en forêt, P. Provencher, **4.00**
Vivre en plein air, P. Gingras, **4.00**
Voie du guerrier (La), M. di Villadorata, **4.00**
Voile (La), Nik Kebedgy, **5.00**

Ouvrages parus à L'ACTUELLE JEUNESSE

Echec au réseau meurtrier, R. White, **1.00**
Engrenage (L'), C. Numainville, **1.00**
Feuilles de thym et fleurs d'amour, M. Jacob, **1.00**
Lady Sylvana, L. Morin, **1.00**
Moi ou la planète, C. Montpetit, **1.00**
Porte sur l'enfer, M. Vézina, **1.00**
Silences de la croix du Sud (Les), D. Pilon, **1.00**
Terreur bleue (La), L. Gingras, **1.00**
Trou (Le), S. Chapdelaine, **1.00**
Une chance sur trois, S. Beauchamp, **1.00**
22,222 milles à l'heure, G. Gagnon, **1.00**

Ouvrages parus à L'ACTUELLE

Aaron, Y. Thériault, **3.00**
Agaguk, Y. Thériault, **4.00**

Allocutaire (L'), G. Langlois, **2.50**
Bois pourri (Le), A. Maillet, **2.50**
Carnivores (Les), F. Moreau, **2.50**
Carré Saint-Louis, J.J. Richard, **3.00**
Centre-ville, J.-J. Richard, **3.00**
Chez les termites,
M. Ouellette-Michalska, **3.00**
Cul-de-sac, Y. Thériault, **3.00**
D'un mur à l'autre, P.A. Bibeau, **2.50**
Danka, M. Godin, **3.00**
Débarque (La), R. Plante, **3.00**
Demi-civilisés (Les), J.C. Harvey, **3.00**
Dernier havre (Le), Y. Thériault, **3.00**
Domaine de Cassaubon (Le),
G. Langlois, **3.00**
Dompteur d'ours (Le), Y. Thériault, **3.00**
Doux Mal (Le), A. Maillet, **3.00**
En hommage aux araignées, E. Rochon, **3.00**
Et puis tout est silence, C. Jasmin, **3.00**
Faites de beaux rêves, J. Poulin, **3.00**
Fille laide (La), Y. Thériault, **4.00**
Fréquences interdites, P.-A. Bibeau, **3.00**
Fuite immobile (La), G. Archambault, **3.00**
Jeu des saisons (Le),
M. Ouellette-Michalska, **2.50**
Marche des grands cocus (La),
R. Fournier, **3.00**
Monsieur Isaac, N. de Bellefeuille et
G. Racette, **3.00**
Mourir en automne, C. de Cotret, **2.50**
N'Tsuk, Y. Thériault **3.00**
Neuf jours de haine, J.J. Richard, **3.00**
New Medea, M. Bosco, **3.00**
Ossature (L'), R. Morency, **3.00**
Outaragasipi (L'), C. Jasmin, **3.00**
Petite fleur du Vietnam (La),
C. Gaumont, **3.00**
Pièges, J.J. Richard, **3.00**
Porte Silence, P.A. Bibeau, **2.50**
Requiem pour un père, F. Moreau, **2.50**
Scouine (La), A. Laberge, **3.00**
Tayaout, fils d'Agaguk, Y. Thériault, **3.00**
Tours de Babylone (Les), M. Gagnon, **3.00**
Vendeurs du Temple (Les), Y. Thériault, **3.00**
Visages de l'enfance (Les), D. Blondeau, **3.00**
Vogue (La), P. Jeancard, **3.00**

Ouvrages parus aux PRESSES LIBRES

Amour (L'), collaboration **7.00**
Amour humain (L'), R. Fournier, **2.00**
Anik, Gilan, **3.00**
Ariâme . . .Plage nue, P. Dudan, **3.00**
Assimilation pourquoi pas? (L'),
L. Landry, **2.00**
Aventures sans retour, C.J. Gauvin, **3.00**
Bateau ivre (Le), M. Metthé, **2.50**
Cent Positions de l'amour (Les),
H. Benson, **4.00**
Comment devenir vedette, J. Beaulne, **3.00**
Couple sensuel (Le), Dr L. Gendron, **3.00**
Démesure des Rois (La),
P. Raymond-Pichette, **4.00**
Des Zéroquois aux Québécois,
C. Falardeau, **2.00**
Emmanuelle à Rome, 5.00
Exploits du Colonel Pipe (Les),
R. Pradel, **3.00**
Femme au Québec (La),
M. Barthe et M. Dolment, **3.00**
Franco-Fun Kébecwa, F. Letendre, **2.50**
Guide des caresses, P. Valinieff, **4.00**
Incommunicants (Les), L. Leblanc, **2.50**
Initiation à Menke Katz, A. Amprimoz, **1.50**
Joyeux Troubadours (Les), A. Rufiange, **2.00**
Ma cage de verre, M. Metthé, **2.50**
Maria de l'hospice, M. Grandbois, **2.00**
Menues, dodues, Gilan, **3.00**
Mes expériences autour du monde,
R. Boisclair, **3.00**
Mine de rien, G. Lefebvre, **3.00**
Monde agricole (Le), J.C. Magnan, **3.50**
Négresse blonde aux yeux bridés (La),
C. Falardeau, **2.00**
Niska, G. Robert, **12.00**
Paradis sexuel des aphrodisiaques (Le),
M. Rouet, **4.00**
Plaidoyer pour la grève et la contestation,
A. Beaudet, **2.00**
Positions +, J. Ray, **4.00**
Pour une éducation de qualité au Québec,
C.H. Rondeau, **2.00**
Québec français ou Québec québécois,
L. Landry, **3.00**
Rêve séparatiste (Le), L. Rochette, **2.00**
Sans soleil, M. D'Allaire, **4.00**
Séparatiste, non, 100 fois non!
Comité Canada, **2.00**
Terre a une taille de guêpe (La),
P. Dudan, **3.00**
Tocap, P. de Chevigny, **2.00**
Virilité et puissance sexuelle, M. Rouet, **4.00**
Voix de mes pensées (La), E. Limet, **2.50**

Books published by HABITEX

Aikido, M. di Villadorata, **3.95**
Blender recipes, J. Huot, **3.95**
Caring for your lawn, P. Pouliot, **4.95**
Cellulite, G .Léonard, **3.95**
Complete guide to judo (The), L. Arpin, **4.95**
Complete Woodsman (The), P. Provencher, **3.95**
Developping your photographs, A. Desilets, **4.95**
8/Super 8/16, A. Lafrance, **4.95**
Feeding your child, L. Lambert-Lagacé, **3.95**
Fondues and Flambes, S. and L. Lapointe, **2.50**
Gardening, P. Pouliot, **5.95**
Guide to Home Canning (A), Sister Berthe, **4.95**
Guide to Home Freezing (A), S. Lapointe, **3.95**
Guide to self-defense (A), L. Arpin, **3.95**
Help Yourself, L. Auger, **3.95**
Interpreting your Dreams, L. Stanké, **2.95**
Living is Selling, J.-M. Chaput, **3.95**
Mozart seen through 50 Masterpieces, P. Roussel, **6.95**
Music in Canada 1600-1800, B. Amtmann, **10.00**
Photo Guide, A. Desilets, **3.95**
Sailing, N. Kebedgy, **4.95**
Sansukai Karate, Y. Nanbu, **3.95**
"Social" Diseases, L. Gendron, **2.50**
Super 8 Cine Guide, A. Lafrance, **3.95**
Taking Photographs, A. Desilets, **4.95**
Techniques in Photography, A. Desilets, **5.95**
Understanding Medications, R. Poitevin, **2.95**
Visual Chess, H. Tranquille, **2.95**
Waiting for your child, Y. Pratte-Marchessault, **3.95**
Wine: A practical Guide for Canadians, P. Petel, **2.95**
Yoga and your Sexuality, S. Piuze and Dr. L. Gendron, **3.95**

Diffusion Europe

Belgique: 21, rue Defacqz — 1050 Bruxelles
France: 4, rue de Fleurus — 75006 Paris

CANADA	BELGIQUE	FRANCE
$ 2.00	100 FB	13 F
$ 2.50	125 FB	16,25 F
$ 3.00	150 FB	19,50 F
$ 3.50	175 FB	22,75 F
$ 4.00	200 FB	26 F
$ 5.00	250 FB	32,50 F
$ 6.00	300 FB	39 F
$ 7.00	350 FB	45,50 F
$ 8.00	400 FB	52 F
$ 9.00	450 FB	58,50 F
$10.00	500 FB	65 F